COLLECTION FONDÉE EN 1984
PAR ALAIN HORIC
ET GASTON MIRON

TYPO EST DIRIGÉE PAR
PIERRE GRAVELINE

AVEC LA COLLABORATION DE
JEAN-FRANÇOIS NADEAU
SIMONE SAUREN
ET JEAN-YVES SOUCY

D1550948

TYPO bénéficie du soutien de la Société de développement des entreprises culturelles du Québec (SODEC) pour son programme d'édition.

Nous reconnaissons l'aide financière du gouvernement du Canada par l'entremise du Programme d'aide au développement de l'industrie de l'édition (PADIÉ) pour nos activités d'édition.

Nous remercions le Conseil des Arts du Canada de l'aide accordée à notre programme de publication.

LE SOUFFLE DE L'HARMATTAN

SYLVAIN TRUDEL

Le Souffle de l'harmattan

Roman

Édition définitive

TYPO

Éditions TYPO
Une division du groupe Ville-Marie Littérature
1010, rue de La Gauchetière Est
Montréal, Québec H2L 2N5
Tél.: (514) 523-1182
Téléc.: (514) 282-7530
Courriel: vml@sogides.com

En couverture: Joseph Mallord William Turner (1775-1851),
Sun Setting over a Lake, v. 1840, huile sur canevas.
Photo: John Webb.
© Tate, London 2000.

DISTRIBUTEURS EXCLUSIFS:

• Pour le Québec, le Canada et les États-Unis:
LES MESSAGERIES ADP*
955, rue Amherst
Montréal, Québec
H2L 3K4
Tél.: (514) 523-1182
Téléc.: (514) 939-0406
* Filiale de Sogides ltée

• Pour la France:
D.E.Q.
30, rue Gay-Lussac
75005 Paris
Tél.: 01 43 54 49 02
Téléc.: 01 43 54 39 15
Courriel: liquebec@cybercable.fr

• Pour la Suisse:
TRANSAT S.A.
4 Ter, route des Jeunes
C.P. 1210
1211 Genève 26
Tél.: (41-22) 342-77-40
Téléc.: (41-22) 343-46-46

Pour en savoir davantage sur nos publications,
visitez notre site: www.edtypo.com
Autres sites à visiter: www.edhexagone.com • www.edvlb.com
www.edhomme.com • www.edjour.com • www.edutilis.com

Édition originale:
© Sylvain Trudel, *Le Souffle de l'harmattan,*
Montréal, Les Quinze, éditeur, 1986.

Dépôt légal: 1er trimestre 2001
Bibliothèque nationale du Québec
Bibliothèque nationale du Canada

Si tu détruis l'ombre de ton arbre,
tu chercheras celle des nuages qui filent.

Proverbe africain

I

Habéké Axoum, c'était le plus intelligent de tous, parce qu'avec ça il avait la naïveté et tout chez lui pouvait se faire. Il a toujours été un peu plus vieux que ses artères, à cause de la chienne de vie qui fait vieillir avant le temps, mais il avait gardé tous ses pouvoirs secrets. Comme moi je dois dire, et ça fait que j'ai des yeux pour voir. Par exemple, dans mon assiette, un brocoli c'est un orme, les patates pilées font un château et la sauce brune c'est l'eau boueuse des fossés. Et les haricots dans la sauce sont des crocodiles qui font peur aux ennemis. Dans le château, il y a un radis qui règne sur le royaume, et une tour qui emprisonne une petite carotte marinée avec laquelle je suis en amour. Moi, je suis le Bien et la Justice, et je veux tuer le radis parce qu'il a beaucoup d'écus et que les paysans crèvent de faim. Et c'est un impur et je le hais, et je le bombarde avec les petits pois et une cuillère-catapulte. Quand ça ne suffit pas, je saisis la poivrière et je la fais neiger sur le château. Ensuite de quoi, je fais tomber la fourchette-grille, je mange un crocodile en passant, puis je tue le radis qui éternue. Je grimpe alors dans la tour pour délivrer la carotte marinée que j'aime plus que tout au monde. Comme je ne suis pas un hypocrite, je dévore le château, les ormes, les crocodiles. Je ne veux rien laisser dans mon assiette, aucune ruine du vieux royaume, aucune trace des choses de ce monde, pour ne pas souffrir inutilement, mais c'est impossible de vraiment tuer la mémoire, et après le souper je replonge la carotte marinée dans son vinaigre parce que toute ma vie je voudrai la sauver.

Ma pauvre mère déteste me voir tripoter dans mon assiette, vu mon âge, et chaque fois j'essuie des volées de reproches parce qu'elle n'a pas les yeux assez perçants pour voir mon royaume. Il faut comprendre que, quand on accumule les années dans sa tête, tout devient de plus en plus vrai, tellement vrai que bientôt l'invisible ne se voit plus et que les royaumes s'effondrent. C'est alors qu'arrive l'adultère avec son hypocrisie. L'adultère, c'est l'ère adulte avec un passé d'enfant figé dans la roche. L'ère adulte annonce les glaciers et la fin des mammouths. C'est l'hiver et le froid qui engourdissent tous les pouvoirs et c'est là que commence le commencement de la fin. Autrement dit, c'est la vieillesse qui s'installe pour de bon dans le creux de nos os. Il y a eu un exemple un jour qui s'appelait le roi Midas et qui changeait en or tout ce qu'il touchait. Pourtant, malgré son vœu exaucé par un dieu, ce roi était malheureux à cause de l'ère adulte. C'est qu'il changeait aussi son pain en or, et jusqu'à son eau, qui devenait de l'eau d'or mais non potable, et Midas ne pouvait s'arrêter de tout transformer maladivement. Il s'accrochait au petit enfant qu'il avait été, mais tout devenait tellement vrai autour de lui, la faim et la soif devenaient si douloureuses que Midas ne savait plus exister avec ses pouvoirs. Il a fini par renoncer à tout l'or du monde parce qu'il préférait boire et manger, et vieillir pauvrement comme tout le monde. Il s'est donc lavé les mains dans un fleuve légendaire, le Pactole, et son don l'a quitté pour se perdre dans les eaux, et aujourd'hui le Pactole roule de l'or et c'est une expression en souvenir de ce roi. Non, le roi Midas n'a pas su grandir avec ses pouvoirs et c'est bien triste pour lui, mais c'est pas comme Habéké Axoum qui, lui, a toujours été plus fort que les rois. Tout petit, Habéké est resté cinquante jours sans manger à cause de la famine, oui, cinquante jours, dix de plus que le roi des rois, j'ai nommé Jésus-Christ tenté par le diable dans le désert biblique, et Habéké n'est pas allé se plaindre pour autant. Moi, quand je voyais ces tragédies à la télé, je me demandais pourquoi il fallait envoyer de la nourriture en Afrique, vu que les Africains avaient le ventre enflé comme un ballon. Je ne savais pas que la nourriture n'avait rien à voir avec les gros ventres. C'est Habéké qui m'a expliqué que, quand le ventre est vide, l'estomac ronge ce qu'il y a de disponible tout autour, parce qu'un estomac ça n'arrête jamais vu les sucs. Quand le ventre est vide, ce qu'il y a de disponible ce sont les muscles autour, et, quand les muscles sont digérés, ils ne sont plus là pour garder les organes à l'intérieur, et les organes veulent s'échapper comme de raison, et c'est ce phénomène-là qui fait les ventres enflés.

Si Habéké est parvenu jusqu'à moi dans la vie, c'est grâce à l'eau pure qu'il a inventée pour survivre. Dans ce temps-là dont je parle, Habéké était haut comme trois crêpes de blé noir, mais il savait déjà créer de l'eau de son cru quand le soleil calcinait l'Afrique et que les Africains s'éteignaient par milliers. Une armée de caméras filmait tout ça naturellement parce que c'était un horrible spectacle.

Plus tard, Habéké me parlerait parfois de Tana, sa sœur, avec sa voix grave et tout étranglée.

« Tana était tellement fatiguée qu'à la fin elle n'avait même plus la force de fermer les yeux. Elle est restée comme ça, des heures sans cligner sous les mouches, puis on a dû les fermer pour elle, ses yeux. On a pleuré, mais sans larmes, parce que nos yeux à nous n'avaient plus assez d'eau pour en fabriquer. »

En ce lointain soir-là, Habéké s'est hissé au sommet d'une colline, car il connaissait cet insecte incroyable qui s'expose au vent nocturne qui souffle de la mer à l'est. Le jour c'est pas la peine d'espérer parce que le vent vient du désert, mais le soir, le voici chargé d'humidité, comme une haleine parfumée, et, quand ce vent glisse sur la carapace chaude de l'insecte, il y dépose une rosée. Au bout d'une heure ou deux, une précieuse gouttelette dévale la carapace jusqu'à la bouche, et l'insecte boit enfin. Habéké a survécu comme ça, en se couchant sur le ventre et en offrant sa tête aux vents miraculeux du soir. L'eau se condensait lentement dans ses cheveux frisés, jusqu'à former des ruisseaux minuscules qui coulaient sur ses joues pour arroser le lac desséché de sa bouche. Habéké a bien tenté d'expliquer l'insecte à sa famille, mais personne ne voulait croire ses enfantillages. Et voilà comment le manque de croyances les a tous fait mourir de soif. Mais la guerre non plus ne les a pas aidés, faut dire, parce que oui il y avait une guerre d'hommes là-bas qui s'ajoutait à la sécheresse de Dieu, et la guerre n'a jamais aidé les petites gens du bas peuple, rien que les grands seigneurs des hautes couches. Et les explosions étaient si épouvantables sur les lignes de feu que même les anges gardiens avaient fui à tire-d'aile dans les nuages avec tous les oiseaux du pays pour abandonner les enfants dans la misère de chien. Heureusement qu'il y avait ici et là des gens courageux qui se désâmaient pour la multitude, et pas que des femmelettes comme les anges aux ailes de poules mouillées, mais des personnes idéalisées qui voulaient vraiment sauver le monde, et, des semaines plus tard, des coopératifs internationaux remplis d'intentions ont exporté Habéké outremer, avec des certificats tamponnés et des titres de propriété, et c'est ainsi qu'un ami est tombé du ciel dans le matériel, ici même, comme un cheveu sur la soupe, dans la paix et l'abondance.

À son arrivée dans notre pays riche où il fait si froid, Habéké n'avait que quelques maigres années derrière lui et on a pu le dénaturaliser pour son bien : on lui a enseigné le français, le hockey, la nage, la bicyclette, la politesse à table et le *Ô Canada !* et puis il a appris tous les mercredis à déposer des sous à la caisse populaire infantile dans le gymnase de son école très primaire, et il a découvert des dimanches sous zéro en motoneige, des mals de cœur de cabane à sucre, le mouton même pas noir du dernier char allégorique de la Saint-Jean-Baptiste, et naturellement la télévision où des pareils à lui mouraient au téléjournal pour nous faire réfléchir un peu avant le western d'onze heures. Et Habéké a vu les épiphanies des crèches vivantes devant son église, il s'est fait crier des noms malpropres, a vomi des hot-dogs, de la tourtière et de la bûche de Noël, a régurgité du coca-cola par le nez et attrapé la picote, s'est étouffé avec le corps du Christ et quoi encore. Mais Habéké, bien roulé en boule au cœur de son pays intérieur, il a su résister à notre civilisation exagérée, parce que, malgré les envahissements et les déformations, il avait décidé d'être éternellement un Africain dans l'âme comme une roche est dure. Durant la vie entière sa pensée s'est faite en amharique comme il l'avait juré en secret à ses ancêtres bien-aimés. Personne ne peut envahir la pensée parce que la pensée c'est l'exil et que chacun a l'exil qu'il désire. Habéké et moi, on s'était promis de visiter nos exils un beau jour. J'aimais Habéké. Il avait l'intelligence humaine.

En Afrique, il y a des zébus dans la savane, mais on confectionne des chaussures avec leur cuir. C'est affreux de penser que l'exil des zébus est lié à nos souliers. Habéké ça l'enrageait, parce qu'il était animiste.

II

Moi, je n'ai pas existé avant l'âge de six mois, parce que jusque-là personne ne voulait s'encombrer d'une affaire pareille. Comble de malheur, je n'étais pas une chose officielle, vu qu'il n'y avait aucune trace de mon événement dans les registres. Né sur le bord du chemin comme une catastrophe naturelle, je n'avais pas connu l'huile sainte du baptême et personne n'avait cru bon de griffonner mon nom sur une attestation gouvernementale ou quelque chose comme ça, ni même de prendre l'empreinte de mon minuscule pied, pourtant beau comme une petite carafe, dans l'encre d'une fiche technique d'hôpital. Autrement dit, personne n'osait croire en moi, même si j'étais né comme tout le monde, par la tête et par la peau des dents, en plongeant dans le vif de toutes mes forces de petit chou.

J'ai longtemps cru qu'une première mère hypothétique avait refusé de me faire sien par faiblesse humaine ou par découragement. Je l'imaginais tellement désespérée devant ma fraise de petit saint-simoniaque que je la voyais courir à la pouponnière pour se faire rembourser, ou pour m'échanger contre une mignonne fillette aux yeux de poupée, mais la chose n'était pas possible parce que cette pauvre maman étourdie avait jeté la facture. Voilà pourquoi il n'existait aucune preuve d'achat qui garantissait mon humanité. Chose certaine, je n'étais pas le fruit de l'imagination d'Adam et Ève ni de Pépinot et Capucine, mais j'existais bel et bien, en chair et en os sans l'avoir voulu, mais je n'étais ni bel ni bien, à cause que j'étais profondément tout seul. Avec ma caboche de pamplemousse, mes yeux en amande, mon front coléreux, mes cris déchirants et mes petits poings sanglants, j'étais un vrai pépin de pomme pourrie, mais, voilà, par mon orgueil bien placé de mâle masculin, hérité de je sais pas trop quel grand-père nébuleux, j'allais rester frais et dispos, comme un ange toujours prêt à répandre des traînées de lumière dans les ténèbres. Je n'ai pas davantage aujourd'hui l'intention de pourrir tout seul dans mon coin et j'espère bien que je pourrai fructifier moi aussi, plus tard, si une nuit une femme de sexe différent désire s'unir à moi au sens propre pour faire la noce au sens large. Ma mère adaptative, celle qui m'a adapté de son mieux pour corriger un malheur qui n'attend pas l'autre, elle n'a jamais voulu aborder franchement ce sujet épineux parce qu'elle avait de trop brûlantes vérités à me cacher. Quand je la questionnais sur tout ce qui était initial à mon genre humain, elle déclinait toute responsabilité en s'écartant du sujet et en sautant du coq à l'âne. J'essayais de la faire revenir au coq, mais elle s'accrochait obstinément à la queue du pauvre âne. Heureusement qu'il y avait les copains pour éclairer ma lanterne, Habéké surtout. Il me racontait que pendant longtemps, même en Afrique, la vie avait été un pur mystère parce que la fertilité ne s'expliquait pas. C'était un phénomène occulte et il y a des sculptures qui prouvent cette ignorance. À la bibliothèque, j'ai un jour épluché un livre rempli de statuettes de femmes noires avec un gros ventre, des seins énormes et presque rien d'autre. On appelle ça des attributs si j'ai bien lu et c'est très symbolique; ça exprime un songe d'homme qui réfléchit à la fécondation. Moi, selon Habéké qui réfléchissait comme pas un, j'ai un petit aquarium au fond de mes entrailles, avec des poissons microscopiques qui barbotent dedans. Quand je mange, il y a un peu de mes aliments en miettes qui tombent dans l'aquarium pour nourrir l'espoir. Plus tard, quand j'aurai grandi encore un brin, ces poissons seront devenus trop gros pour mon aquarium et en quête de liberté ils nageront jusqu'à la lumière au bout du tunnel. Ce sera le début de la voie maritime. Après, si je me trouve dans l'union prolongée de cette voie, une série d'écluses mèneront mes poissons jusqu'aux Grands Lacs, loin, bien loin au sein du continent féminin. Un seul de mes poissons atteindra le lac Supérieur, c'est mathématique. Il se métamorphosera infiniment et ses nageoires deviendront des membres en bonne et due forme, et puis des yeux à paupières seront créés, et sa queue de poisson s'effacera dans le coccyx, et les branchies feuilleront en petits poumons, et un petit cœur d'homme, comme une fraise sauvage, se mettra à battre à travers la peau, et puis voilà, ce sera un enfant, ni plus ni moins. Quand il sera assez vigoureux, cet enfant neuf crèvera les eaux du lac et s'en échappera grâce à des contractions de femme. Ce moment venu, j'espère que personne ne me reprochera sa naissance, parce que, reprocher aux enfants leur entêtement à apparaître magiquement dans le monde, c'est aller contre ce qui

doit exister malgré tout. Moi, je suis contre les inter-
dictions, l'étranglement, les coupures et autres trucs
diminuants. En Afrique, les gens ont ceci de diminuant
qu'ils en amputent des bouts. Si j'étais africain à l'âge
que j'ai, mes pères m'auraient déjà charcuté le prépuce, parce que le prépuce y est vu comme le côté
féminin de la médaille masculine, et, là-bas, les mé-
dailles ne doivent pas avoir d'envers à cause des
croyances ancestrales. Et si j'étais une Africaine avec
un sexe, eh bien ce serait exactement pareil mais complètement différent, dans le sens que c'est un autre
profond mystère qu'on m'aurait enlevé de la conscience. Gustave Désuet a écrit que les parties sensibles
des religions sont en principe sous la ceinture. Il était
terrible ce Gustave Désuet. Je l'ai beaucoup aimé,
parce qu'il m'a aidé à vivre ma vie d'une certaine
manière, mais il ne le saura jamais, parce qu'il est
mort. Gustave Désuet, c'était un homme de lettres au
pluriel parce qu'il en avait beaucoup, comme on explique dans mon dictionnaire de noms très propres.
C'était une espèce de tigre de papier qui a un jour pris
sa plume comme on prendrait une arme, pour faire
mal, et sa plume dégoulinait de venin et il ne se gênait
pas pour être venimeux. Une vraie vipère, ce tigre. Il
disait que nous autres, les riches d'Europe et d'Améri-
que, on vit en Accident, dans nos pays accidentaux, et
que l'Apocalypse de la Bible qu'on lit jamais est la plus
grande idiotie de l'Accident, parce que c'est déjà commencé mais personne le voit, c'est en train de se faire
sous nos yeux qui aiment mieux courir se cacher derrière des paupières, mais c'est là, et c'est nous, oui,
l'Apocalypse, c'est nous autres, nous qui sommes déjà
le cataclysme des pauvres, vu qu'on les tue d'une main

dissimulée derrière le dos, dans la noirceur commode de nos consciences, pour rester riches à leurs dépens, et qu'on a beau dire, mais ce qu'on fait dans l'ombre, ou ce qu'on laisse faire vu que ça nous engraisse, eh bien ça enterre tout, mais vraiment tout, les beaux principes et les cadavres, et que c'est charmant comme ça, la civilisation accidentelle, et si charmant que ça nous empêche même pas de dormir. L'Accident lui avait d'ailleurs inspiré un poème, à Gustave Désuet, qui s'intitule « Conjugaison du passé décomposé ».

J'union soviétique
Tu étais-unis
Il tiers-monde
Nous bourgeoisons
Vous dormez
Ils meurent

Mais Gustave Désuet, c'était aussi un poète délyrique qui avait vécu dans la douleur de l'être et qui aimait l'amour, et que c'est pour ça qu'il est mort jeune. J'avais deux livres de Gustave Désuet chez moi, un recueil de poèmes et un florilège de maximes. Ils habitaient secrètement sous mon oreiller. C'est Céline qui me les avait achetés aux puces où ils étaient sales et puaient le moisi parmi des cochonneries sans nom, mais je les voulais absolument.

« Qu'est-ce que tu vas faire avec ces vieux livres là ? Y a même pas d'images. »

Elle parlait comme si je n'aimais que les images, mais une image ne vaut que mille mots, pas plus, parce qu'une image c'est plat, ça n'a que deux dimensions et ça fait écran à l'invisible qui n'est plus libre. Tandis que dans Gustave Désuet je pressentais de l'infini à perte de vue et à perte de vie, je voyais de l'inconnu qui me dépassait et m'allumait, comme dans le tout premier poème que mes yeux écarquillés ont lu de lui, « Mon île a besoin d'ailes », en tombant dessus sans le savoir, comme sur une vie apparue dans une vie.

Je vieillard d'amertume
  et je m'alaise dans la nuit
Je suis la solitude
  dans les champs effleurés de vent
Ondées de cris des fétiches
  dans les jardins de ma mort
Et ma mémoire est creuse
  comme la terre froide
Et je m'élancolique le chemin blond
  de ta brûlure bénie
Ô douleurs de toute une vie
  il pleut sur la maison renoncée
Mais hier encore
  j'aujourd'huissais à jamais
Et voilà que je m'ensonge
  et que je voudrais ne pas souffrir
Mais il faut tuer
  tous ceux que je fus sans y croire
Sauf celui que tu aimas
  et seul digne d'être cru et qui me survivra
Ce mendiant de pain brûlé
  qui adorait ton songe et ton dieu
Ah ! j'aujourd'hui comme un fou
  qui s'effondre d'une vision d'éternité

Et j'infini le souffle et la majesté
des astres flambés dans ta bouche
Mon il a besoin d'elle
et mon île a besoin d'ailes
Et le premier soleil s'est levé
quand tu m'as fait voir ta gloire
C'était un matin d'odeurs et de murmures
et je me souviens de la fraîcheur des bruits
Mais la main née de ta caresse
fut une journée encore plus neuve
Oh, j'au loin de ce monde
et j'autrefois d'un éblouissement
Je m'agnifique tes yeux d'or brûlé
et j'amour ton visage qui n'est plus
Et mes derniers jours sont des pluies d'injures
qui me saignent
Tandis que monte à l'orient
le soleil de ma névrose
Mais c'est la mort qui se lève ainsi
dans l'éclair d'une vie
Et je pleure tout ce que tu fus
et tous les miracles qui coulaient de ta main
Mais en pleurant je brille
comme une larme de gemme
Oui en pleurant
je brille de mon silence et de mon secret
J'étincelle de tous ces chants
qui tombent sur moi en grâces de feu
Et je suis pur enfin je suis pur
et je suis pardonné d'avoir vécu
Ô saintes plaies vous me sacrez
d'un sang de femme et m'exaucez

Je suis pur enfin
  pur à jamais d'avoir été aimé.

Bien sûr, on ne comprenait pas tous ces brillants qui pleuvaient de la tête de Gustave Désuet, et on se sentait bien souvent comme des petits oiseaux devant l'océan, mais on se cachait dans ma garde-robe, Habéké et moi, pour en lire des passages à voix haute, puis on essayait de comprendre à quoi ça pouvait bien rimer tout ça. On aimait le chemin de la pureté, l'amour d'une femme, la musique folle qui nous soûlait et l'aujourd'hui fait verbe, et on avait l'impression de comprendre que le monde n'est le monde que si on est le monde aussi, je veux dire à la fois dedans lui et autour de lui, du point jusqu'à la sphère, du néant à l'infini, sans jamais fermer les yeux sur rien, ni sur le bonheur ni sur le désespoir, pour souffrir et comprendre la souffrance, ce qui est peut-être en fin de compte le seul but d'une vie. Je sais pas trop et je dis peut-être n'importe quoi, mais bon. Bien entendu on se cachait parce qu'on savait que si les parents avaient examiné ces livres-là jusque dans leurs secrets enfouis entre les lignes, ils nous auraient interdit de poursuivre nos mauvaises fréquentations qui nous enseignaient le cri et le mal de vivre, et nos parents auraient sûrement enfermé nos livres comme on enferme les fous dans les étages astronomiques des hôpitaux psychiatriques, pour pas que les yeux des tièdes et des innocents tombent dessus, parce qu'on a mis des étiquettes à ces choses-là : c'est des choses trop brûlantes pour les yeux et trop malsaines pour le cœur. Mais c'est pas juste je trouve, parce que Gustave Désuet, lui, il voulait rien qu'exterminer les méduses qui aveuglent nos regards pauvres en états d'âme favorables. C'est

vrai quoi : les infirmes, les obèses, les malades, les pauvres, les malheureux, les vieux et les putains sont pareils
à nous et ils aiment aussi se sentir voulus. C'est important, parce que, si on ne se sent pas voulu, on est une île
si petite qu'on n'est sur aucune carte.

III

À six mois je versais des larmes glacées, oublié dans un panier à provisions de supermarché tout démantibulé. Ma première mère, que j'ai effleurée mais dont j'ignore la présence sur terre, avait fait une croix sur moi pour de vrai, moi son bébé de mauvais augure, nouvellement né pour une raison ou pour une autre. J'ai souvenir de rien vu ma petitesse d'alors, mais je me connais comme si je m'avais tricoté, et je suis sûr que j'aimais mieux être un rejeton qu'un avorton à cause du mince espoir que ça laisse bouillonner au fond de l'être faible. Toujours est-il que le panier baignait comme une cage à écrevisses dans une mare à quenouilles au bord de l'autoroute, et moi, piégé comme un petit animal, je mourais de faim, de soif et de solitude.

C'est alors que pour moi seul est passée une certaine femme nommée Céline qui a aperçu un enfançon fendre l'air à travers les joncs et les quenouilles et qui a décidé d'écraser la pédale de frein pour stopper cette atteinte aux droits universels des enfants fondamentaux. C'est que, sans le lait et les caresses, la chaleur n'existe plus, et, par extension, la vie. Privé de tout, je grelottais au bord du cosmos et je tétais dans le vide un sein jamais vu, ou peut-être la lune que je prenais pour un pis de la Grande Ourse, et tout à coup j'ai été soulevé au firmament : Céline m'a pris dans ses bras pour voir, et, après avoir bien vu de ses yeux vu, elle en a été émue au point de vouloir me faire permanent au milieu de ses affaires, mais je ne sais pas vraiment pourquoi, peut-être que j'avais de la façon. Pour le bébé que j'étais de toute manière, il en fallait, de la permanence, parce qu'il faut prendre racine loin du temporaire pour avoir une vie, vu que le temporaire est de courte haleine. Bien sûr, Céline n'était pas seule et unique en tant que tendre moitié d'un tout uni, mais Claude, l'autre moitié matrimoniale dont il est question, s'est montré favorable à ma cause désespérée, comme sainte Rita, malgré mes yeux en amande qu'il n'avait pas. Céline et Claude venaient tout juste de se passer religieusement les bagues aux doigts jusqu'à ce que mort s'ensuive, et, pour eux, ça devait être une sorte d'aubaine de tomber ainsi sur un poupon tout usiné d'avance, j'imagine. Tout de suite ils pouvaient profiter de la joie indescriptible du moment sans nausées et sans fausse couche, surtout que personne ne me réclamait aux objets perdus. À l'époque j'étais sûrement heureux dans l'inconscience, mais avec mes yeux d'aujourd'hui qui se sont ouverts sur les choses, personnellement je trouve ça salaud. Oui, salaud, j'ai pas peur des mots, parce qu'ils savaient bien qu'un jour ils auraient des enfants de leur cru, des pures laines de la race pure. Ça signifiait que moi, chose, je resterais toujours le petit perdu de la famille, le petit Chinois trouvé par erreur humaine, le petit pitou ramassé dans la gadouille, le petit bâtard d'enfant d'chienne.

J'ai appris toute cette histoire sombre un soir qu'il faisait noir, alors que Céline et Claude me croyaient endormi pour de bon dans ma naïveté rêveuse. J'ai appris d'un coup sec la vastitude de mes origines inconnues et j'ai compris que j'étais une éternelle pomme de discorde, parce que les deux tourtereaux n'avaient jamais été d'accord sur ma signification ni sur l'importance d'un chagrin secret que Céline devinait en moi depuis toujours. Je me suis approché sur la pointe des orteils de la chambre nuptiale où ça se disputait à qui mieux mieux et j'ai collé à la porte mon oreille en chou-fleur qui n'en revenait pas. Céline criait qu'elle avait toujours voulu tout m'avouer dès le début pour m'asseoir dans la vérité et m'y voir enfin fleurir, tandis que Claude jurait qu'il valait mieux tout oublier et faire semblant de rien, que ça se tasserait. Comme ni elle ni lui n'était capable d'être quelqu'un qui se tient debout devant l'autre, on noyait ma solitude dans le silence de la nuit qui m'a vu naître. C'était plus facile comme ça, et puis je n'étais sûrement conscient de rien, non, ce n'était pas possible, ça ne se pouvait pas que je ressente mystérieusement la cruauté d'une vieille tristesse venue d'avant ma mémoire ; je n'avais au fond de moi aucun mal de vivre, aucun fantôme de douleur. Il ne restait rien dans mon cœur du poison de mes premiers jours sur cette terre.

Non, j'étais pas grave. Il suffisait d'allumer le dimanche des lampions à sainte Rita et ma mélancolie natale s'envolait en fumée, comme de l'encens pour les anges, et la flamme purifiait ma plaie vive. Non, il n'y avait rien à craindre, j'étais rien.

Et c'est comme ça que du jour au lendemain je suis devenu orphelin, que Claude et Céline sont devenus mes demi-parents, et Jasmine ma demi-sœur, et Benjamin mon demi-frère, et Pipo mon demi-chien, et mon bicycle mon demi-bicycle, et que moi dans mon coin je suis devenu la demi-portion de la maisonnée.

IV

Depuis cette nuit-là, la nuit du grand dévoile-
ment de mon étrangeté, tout avait changé dans ma
tête et tout changeait de plus en plus rapidement sans
que les demis s'en doutent. Il y avait de l'électricité
dans l'air et du venin dans mon cœur blessé. Je me
méfiais de mon ombre et je trébuchais sur la moindre
parole obscure comme sur les pierres du chemin, et je
surveillais mes portions de patates pilées au cas où
elles auraient diminué pour s'ajuster au nouvel espace
réduit que j'occupais. Jasmine et Benjamin étaient
trop jeunes encore pour comprendre mon drame
familial, aussi je ne leur en voulais pas d'avoir toujours un appétit grandissant qui s'ajustait à leurs portions de patates toujours grandissantes. Autrement
dit, ma vie n'était plus ce qu'elle avait essayé d'être
jusque-là, et je me sentais tout habité par des cris
muets comme par de grands oiseaux noirs maléfiques. Et puis un soir il y a eu une coïncidence dans le
salon qui a tout bouleversé. À la télévision, des pro-
fessionnels des névroses et autres folies normales de
la vie moderne discutaient entre eux des orphelins
perdus qui redescendent comme des aveugles dans
leur nuit généalogique en quête de questions à leurs

réponses. Ces histoires de racines personnelles me concernaient énormément, mais Claude, dépourvu de courage et incapable d'affronter mes quatre vérités, a décidé de vite changer de chaîne pour une autre moins dangereuse où meuglait une chanteuse vide et c'est alors que je me suis fâché tout rouge. Le feu aux joues et le sang aux yeux, j'ai flanqué un formidable coup de poing dans le plat de chips et j'en ai foutu partout jusque dans les rideaux, et même sur Pipo tout surpris qui s'est mis à grignoter les miettes salées, et mon grand verre de seven-up a revolé sur le tapis. Le pauvre Claude aux grands yeux en est d'abord resté complètement assis, lui qui ne comprenait rien à rien comme de coutume, mais il n'a pas tardé à bondir pour me foudroyer du haut de sa grandeur.

« Que c'est qui te prend, mon bâtard de p'tit saint-simoniaque ! »

Ceci dit il s'est jeté furieusement sur ma personne et m'a saisi par le poignet pour serrer fort jusqu'au sang, puis, d'un grand moulinet de son bras le plus musclé, il m'a imprimé dans le visage une fleur à cinq doigts. Le pire c'est que je le comprenais au fur et à mesure et que, avoir été à sa place, j'aurais fait tout comme lui, j'aurais fessé fort en maudit verrat pour que ça fasse mal dans la chair et pas juste dans l'esprit, et déjà je lui pardonnais tout d'avance et j'acceptais la souffrance venue de lui d'homme à homme. Mais là, tout d'un coup, une goutte m'a fait déborder, et toute une vie secrète et silencieuse a été détruite en moi (je veux parler de la vie de tous les jours, celle un peu triste qu'on accepte de vivre clopin-clopant au ras de l'herbe à puces, avec nos proches qui font ce qu'ils peuvent avec ce qu'ils ont, parce qu'on sait bien qu'au fond on est comme eux, qu'on est tous comme tout le monde et que tout le monde est comme ça et qu'il n'y a pas d'agneaux sans tache), quand Claude a craché la pire des choses qu'il pouvait pas cracher à ma figure – il m'a traité d'enfant d'chienne. Soudain, il y a eu comme un instant très court d'éternité dans le salon, une peur qui flottait dans l'invisible qui nous liait, comme un silence venu de loin en nous, de là où on ne se connaît pas, et j'ai compris que je vivais un tournant. Céline était encadrée comme une nature morte dans la porte du salon et elle continuait à ne rien dire pour ne pas me défendre et ça m'a rendu sourd de rage, parce que ç'aurait été facile pour elle d'être quelqu'un pour moi en cette seconde-là, en ce moment de mort où j'étais seul comme un chien dans l'univers, sauf le respect à Pipo. Ç'a fini que j'ai pleuré en cachette des larmes de sang dans mes oreillers de plumes. Ce soir-là, j'ai compris que l'intérieur des hommes sans racines est tapissé d'exil. À ces pensées nouvelles j'étouffais dans mon lit froid, mais je me disais au fond de mon cœur que toutes les clôtures du silence finiraient bien par tomber puisque tous les mammouths n'étaient pas éteints, qu'il en brûlait encore un et qu'il se cachait en moi comme la volonté de survivre à ce qui tue normalement. Et puis je me suis mis à penser à Habéké, le déraciné des déracinés qui montrait le chemin à tous les perdus de notre monde, et j'ai senti qu'il serait un frère pour moi, sauf le respect à Benjamin.

En Afrique, il y a le vent baptisé l'harmattan qui est sec et brûlant et qui souffle les sables des déserts sur les terres de la culture. Il tue sans regarder les arbres, ni les troupeaux, ni les villages. Les récoltes aussi en prennent pour leur rhume malgré qu'il y ait toujours de plus en plus de bouches qui réclament de l'agriculture, car croquer du sable ça ne correspond à rien. Pourtant, pour vivre, il faut correspondre. Pipo, quand il jappe et qu'il sautille après un biscuit, il correspond à un chien follet. Jasmine et Benjamin, quand ils dansent à la corde et qu'ils demandent un cornet de crème glacée et qu'ils mouillent leur lit la nuit, ils correspondent à des enfants. Mais moi, quand je tape comme un moulin à vent dans les chips et dans le seven-up avec mes yeux en amande, je ne corresponds à rien du tout, surtout pas à un fils normal.

Chez nous, je correspondais à tout ce qui donne mauvaise conscience aux gens, et c'était pareil pour Habéké : il correspondait à un Africain tout nu et à gros ventre qui passe la tête par la fenêtre du téléviseur, le soir au téléjournal, pour lorgner les bons aliments qui fument sur nos tables. C'est pour ça que mes demis tremblaient secrètement devant Habéké qui par sa seule présence semblait accuser tout l'Accident, parce que par Habéké arrivait le péril noir du monde étranger où tout est si menaçant, parce que Habéké qui restait souper chez nous, c'était l'image de la télé qui s'incarnait sur une chaise, au bout de la table, au-dessus d'une assiette pleine, une sorte de fantôme qui lapait une soupe chaude qui brûle les bouches pas trop habituées à la nourriture. À la limite, je correspondais à Habéké qui lui correspondait à l'Afrique, qui elle correspondait au primitif, qui lui correspondait à l'aube de l'humanité, qui elle correspondait à ce matin lointain et peut-être maudit où Céline m'avait trouvé dans un panier à provisions, comme une tranche de surlonge en solde.

Avec le panier noyé c'était le cycle infernal qui recommençait à tourner, comme une terre ordinaire, comme nos jours qui n'ont pas toujours de sens.

Je me sentais tellement correspondre à Habéké que j'ai décidé un bon soir de lui écrire une lettre de détresse, ma première épître qu'on dirait plus tard pour rire, et dans cette lettre je lui demandais sans cérémonie de m'inviter à son chalet pour quelques jours. Ses parents m'aimaient bien, y aurait sûrement pas de problème que je me disais. Et puis j'ai cacheté la lettre, léché le timbre qui goûtait mauvais, et l'enveloppe m'a quitté, oblitérée de mon espoir.

V

Quand Habéké Axoum a atterri dans notre petite ville après des années écoulées à Montréal avec ses parents adoptifs, ça a fait des vagues. Il faut avouer qu'Habéké, en tant que Noir de couleur, faisait jaser à cause du manque de préparation et de l'étrangeté africaine. C'était la première fois qu'un Noir authentique nous apparaissait tel quel, hors téléviseur, et nous, les jeunes, on voulait toucher du doigt pour voir si c'était du pareil au même. On a bien vu que ce garçon avait une douce peau de chocolat, des cheveux de laine, des yeux pleins de vie, un nez de boxeur, des dents comme les touches d'un piano et des jambes infinies reliées entre elles par des genoux tout en os. Il articulait le français mieux que nous et son nom était comique. Et puis il portait au cou un beau collier de cornaline rouge sang, et au poignet droit un bracelet magique pour faire tomber la pluie; et il nous parlait de femmes aux gencives bleues et à la chevelure luisante de beurre suri, d'enfants qui se mettent dans la bouche les pièces qu'on leur donne, comme dans un petit porte-monnaie mouillé; et puis Habéké parlait de lait fumé, de crêpes de blé noir, et de poivre rouge qui empêche les

poils de pousser sur la langue ; et il nous racontait des
histoires abracadabrantes, comme celle du serpent
Wollou qui avalait des jeunes filles vivantes avant
d'accorder des vœux, ou celle du mauvais café empoisonné des sorciers abyssins qui déchirait les intes-
tins, ou celle du lépreux aux doigts tout mangés qui
avait fait trancher par sa mère sa langue pourrissante
avec une omoplate de chien sauvage, ou celle de cette
voyante de bonne aventure, qui est là-bas une pytho-
nisse aux yeux-foudre, juchée dans un térébinthe, qui
avait vu dans sa gourde d'huile la naissance d'un
Christ nègre, ou celle de ces petits esprits malfaisants
qui glissent sur les rayons du soleil, ou d'autres
encore plus incroyables mais que j'oublie parce que.
Tout ça pour dire que je l'ai aimé tout de suite,
Habéké, sans les délais habituels avec les nouveaux
au cas où finalement ils ne seraient pas ceux qu'on
croit. Oui, je l'ai aimé, moi, contrairement aux grands
cornichons de l'autobus scolaire qui ne connaissaient
rien aux peuples. Un matin, Habéké s'est fait souhai-
ter la bienvenue par un gars bête comme ses deux
pieds, un demeuré qui promenait tout partout dans
la vie sa croûte de stupidité.

« Salut, p'tit nigger toasté des deux bords ! »

Les semblables du cornichon ont gloussé comme
des poules, mais Habéké n'avait pas encore dit son
premier mot.

« Nous autres, les Noirs, on est les grains de
beauté du bon Dieu. »

Je l'ai trouvé génial d'avoir répondu ça du tac au
tac à la face de l'idiotie et je lui ai demandé de devenir mon ami pour la vie. Il a dit oui, mais sans garantir pour la vie, car il avait la sagesse dans le sang, cet

Habéké-là. Dès cet instant, lui et moi on est devenus l'index et le pouce d'une même main secourable, le soleil et le ciel bleu d'un même doux matin d'été, et tout ce qui le touchait me touchait, et inversement il va sans dire, à cause de la fraternité qui ne va pas sans l'autre.

Par bonheur, Habéké habitait dans le proche voisinage d'à côté de chez nous, ce qui me permettait de le voir partir chaque soir avec ses jambes, car il courait des heures durant sans se fatiguer. Son endurance époustouflante et ses jambes vertigineuses dépassaient l'imagination et je pensais que c'était par hérédité, vu les savanes, les guépards et la géographie. Un jour je lui ai posé la question avec délicatesse, pour ne pas blesser l'orgueil mal placé, mais Habéké n'était pas chatouilleux de ce côté-là et il m'a expliqué que dans les vallées des flancs des plateaux on craignait davantage les hyènes et les panthères, puis il a dit que « tous les parents croient à l'hérédité, jusqu'à ce qu'ils se rendent compte que leurs enfants sont des crétins ». On a bien ri, même si ça ne répondait pas vraiment à ma question mais peu importe, on a bien ri.

Un jour, j'ai appris que son arrière-grand-père avait été un coureur exceptionnel autrefois dans ses chasses mythologiques, mais qu'il avait mystérieusement disparu un jour comme un autre. Cette histoire est à l'origine du début de notre siècle, en mille neuf cent quelque, et l'arrière-grand-père travaillait pour des Français jaloux (jaloux des Anglais et de leur projet de ligne du Cap au Caire), à la construction du nouveau chemin de fer qui finirait un jour par relier Addis-Abeba et Djibouti et qui les relie toujours d'ailleurs, vu que Djibouti et Addis-Abeba n'ont pas bougé d'un cheveu depuis. Tout se déroulait normalement donc, et les rails allaient leur petit bonhomme de chemin, jusqu'au jour où un louche contremaître, un Italien il paraît, ou peut-être un Allemand qu'on raconte, à moins que c'était un Français, mais de toute façon ce maudit salaud a envoyé un wagonnet chargé de manœuvres bon marché pour éprouver la fragilité d'un pont. Tout d'un coup toute la structure en allumettes s'est effondrée comme on le craignait dans un cataclysme de poutres et la wagonnée de Noirs n'ont plus jamais été revus vivants. Le torrent au fond du ravin a sûrement avalé la clef de l'énigme qui aurait pu délier les langues et envoyer la poignée de pourris en prison, mais les contremaîtres ont toujours plaidé non coupables pour des raisons évidentes de fraternité raciale. Hélas! le muet torrent jaune ne peut pas parler malgré tout le sang d'homme qui a rosi et salé ses eaux, mais il lui arrive de gronder fort dit-on, quand les pluies réveillent sa douleur, et ces tonnerres sont des accusations que tout le monde entend depuis, mais il est bien tard. On pense généralement que l'arrière-grand-père a pris fin dans cette catastrophe, mais sans le savoir il a légué ses jambes uniques à Habéké par-delà les montagnes et l'immensité du temps qui séparent les hommes modestes, et c'est un peu, pour cet ancêtre perdu, une renaissance de son sang, un triomphe de son âme de feu qui papillonne dans l'incroyable. C'est pour ça que, chaque soir, Habéké filait sur la voie ferrée qui grimpe vers le nord en serpentant dans nos paysages de lacs violets, de rivières de rouille et de montagnettes vert épinard, convaincu qu'il était d'aboutir un jour en Afrique par là ou de croiser son arrière-grand-père au tournant d'une vie. C'est qu'Habéké le croyait toujours vivant, cet ancêtre-là, et il disait le voir en songe qui errait sur des chemins de fer quelque part au monde, de l'autre côté du fil bleu de l'horizon, chantant des complaintes pour passer le temps et se nourrissant de ses rêves du pays natal, son miel et son lait. C'est pourquoi mon ami Habéké courait héroïquement dans sa foi, en traînant dans son sillon ses douleurs vastes comme des steppes buissonneuses, longues comme la corne somalienne et tristes avec ça. Un soir, alors que je cueillais des bleuets le long de la voie ferrée, j'ai vu au loin la silhouette de bronze d'Habéké qui pleurait son malheur et ça m'a tellement remué que mon bol de plastique a chaviré et mes petits fruits sont tombés à terre. Je les ai piétinés, ces beaux bleuets, pour humilier un peu la beauté du monde qui osait éclater dans le crépuscule doré sans mon ami.

Un jour, Habéké m'a demandé pourquoi je m'appelais Hugues. J'ai dit que le matin de ma trouvaille dans le panier d'épicerie, c'était la fête de l'abbé Hugues mort dans le passé mais qui a aujourd'hui l'honneur d'être un saint de calendrier. Habéké a souri parce qu'il venait de nouer un nouveau lien entre nos existences pourtant éloignées à première vue.

« Sais-tu ce que ça veut dire, mon nom à moi ? »

Je savais pas, comment aurais-je su ?

« Mon nom, "Habéké", ça signifie "mil du matin". »

On s'est étonnés mutuellement, et, pour célébrer cette surprise, on a partagé le petit déjeuner, des toasts et de la confiture de framboises cueillies par moi sur la voie ferrée, avant le temps des bleuets et des cerises-à-cochons. Je me souviens qu'on a parlé de l'Afrique ce matin-là, comme on le faisait souvent, et c'est pour ça qu'aujourd'hui je sais des choses, comme par exemple que l'Afrique est un émiettement des langues et que celle d'Habéké est pleine de voyelles à pédoncule ; ou bien qu'en Afrique les problèmes des hommes sont à la fois aigus et graves, donc circonflexes, à cause de la loi des grands nombres appliquée par les agents de conservation. La multiplication les a faits champions de démographie, mais, contre toute attente, l'Afrique est un quotient, car elle est, d'après Habéké, le résultat des divisions entre les peuples, et là-bas ils n'ont que ça des peuples. D'est en ouest, le soleil d'une journée africaine éclaire dans sa révolution en arc-en-ciel les Somali, les Danakil, les Toubou, les Ngambaï, les Mboum, les Yoruba, les Peul, les Sara-kollé, les Éwé, les Baoulé, et puis le soleil usé va mourir au bout de son sang chez les Wolof, sans rien dire des Bozo, des Bobo, des Toucouleur et des Toupouri, et aussi de tous les autres peuples dont les noms m'échappent parce que quand même. Il existe pourtant des petits capuchons de caoutchouc tire-bouchonnés qu'on dit anticonstitutionnels pour freiner l'ardeur des peuplades, mais, ça, c'est pas gagné, parce que c'est des solutions étrangères qui ne sont pas très concubines des problèmes circonflexes musulmans ou animistes. Et puis ces choses-là ressemblent à des mues de serpents ou de petits caïmans, et je me demande ce qu'un homme de cette farine ferait de cet ustensile, lui qui vénère le cercle des pythons et les crocodiles sacrés. Et puis, comme j'entends encore Habéké me le faire remarquer, personne ne voit là-bas le pourquoi de s'accoupler dans la vie de tous les jours si c'est pas pour se créer infiniment, je veux dire se procréer dans l'univers, d'où le comique des missionnaires et de leurs vœux de chasteté incompréhensible aux yeux des Noirs qui voient le monde d'un autre œil, de leur œil noir si on veut ; et d'où vient aussi que les missionnaires bien embêtés devaient des fois s'inventer des épouses invisibles qui les suivaient partout comme des queues de veau, jusque dans leur grabat à poux juraient-ils, pour mériter le respect de ce côté-là.

Tout ça pour dire que dans Habéké j'ai trouvé un écho à tous mes problèmes de vie. Je me pensais le seul à être né dans la soupe aux pois, mais, quand j'ai su l'existence invraisemblable d'Habéké, en lui j'ai reconnu un frère entier, mon frère de l'invraisemblance et de la noirceur des choses. Et, quand tout ému je lui ai raconté ma déconfiture dans les quenouilles, ma naissance improbable, ma facture jetée, ma demi-famille, mes yeux en amande d'un autre homme, et tout et tout, on était assis sur un banc de bois de la vieille gare et il m'a touché la main de sa main, et ça faisait noir sur blanc comme une écriture sainte, et même comme une fille on aurait dit à cause qu'Habéké était tout en douceur jusqu'au bout des doigts, mais non, c'était pas exactement ça, c'était autre chose qu'une fille mais je sais pas quoi au juste, peut-être l'amitié comme on n'en voit peu, et que c'est peut-être pour ça que quand on la croise au hasard des existences on ne sait pas l'appeler par son nom. Pourtant il faudrait la nommer éternité pour lui rendre justice ; il faudrait lui sacrifier de la chair de notre soleil pour célébrer sa chaleur humaine. Ce jour-là dont je parle, Habéké et moi nous nous sommes promis fidélité éternelle et infinie et nous avons enfoui une pièce de monnaie plus loin, sous une traverse de la voie ferrée, comme le symbole d'un trésor sans prix, en nous disant que nous étions les seuls à tout savoir du chaos des étoiles et que, peu importait ce que la vie nous réservait dans sa grande injustice, il y aurait toujours cette pièce valeureuse qui sommeillerait dans l'attente d'un retour, pour témoigner de nous deux dans la lumière, comme de nos espoirs et de toutes ces choses de l'homme secret en quoi nous croyions.

Alors Habéké s'est excusé pour monter sur ses hautes jambes fuselées parce que l'heure était venue. Tout pensif et encore chaud d'avoir été compris, j'ai regardé mon ami prendre le bord de l'horizon où la voie ferrée ondule comme une folle, où survivait l'Afrique de ses rêves et de sa douleur humaine, où flottait dans l'infini la plainte de son arrière-grand-père, où reposaient en paix les vieux trains ensevelis sous la tristesse des années mortes.

Je me souviens que j'avais achevé ma première épître à Habéké par un court poème de Gustave Désuet qui l'avait composé pour l'amour de la seule femme qu'il a aimée dans sa vie, la seule personne je dirais même, femmes, hommes et enfants confondus dans la foule humaine, parce que Gustave Désuet a vécu malheureux jusqu'à la moelle malgré la femme et qu'il est mort tout seul au monde, à vingt-neuf ans, pendu sous un petit pont de bois, à la campagne, les orteils trempant dans un ruisseau, et, quand des enfants l'ont retrouvé au bout de sa corde, il était déjà à moitié mangé par les oiseaux, pire qu'un chien crevé oublié des chiens, et il est mort un an après l'essentielle femme qui n'a pas été pour lui le bonheur, mais le parfum du bonheur, ce qui est désespérant je peux le comprendre, parce que c'est rater de peu une vie de merveilles pour sombrer dans une nuit de mort.

Va, ma perle, mon amie
Je ne sais pas qui je suis
Mais va, va chanter le calme
Des fauves que tu adoucis
Sans cérémonie
Ô ma perle, ô ma lumière
À la grandeur de ma planète
Tout est plus petit que toi
Et je te sais cédille
Sous la consonne canine
De mon cœur encagé.

VI

J'étais sur le balcon avec des airs d'ours en cage de fer forgé. Je toupinais et ne tenais pas en place, comme si les planches me brûlaient les pieds, parce que mon appel dans l'immensité n'était pas tombé dans l'oreille d'un sourd et qu'Habéké volait à mon secours. Mes demis s'étaient réunis au sommet la veille pour régler le sort de leur enfant d'chienne, et l'idée leur a souri de m'expédier deux semaines à la campagne pour respirer du bon air pur par le nez et calmer mes instincts d'agression.

Tout à coup une grosse station-wagon comme un corbillard qui tourne le coin. C'était eux, Habéké, et je serrais fort ma petite valise de petit bâtard. L'auto des Godin ne s'était pas encore immobilisée devant la maison que je me trouvais déjà dedans à rire avec mon ami et à le blaguer sans repos. Pendant qu'on fraternisait d'homme à homme et qu'on jouait à se faire battre le cœur, ses parents ont discuté un instant de choses et d'autres avec mes demis appuyés contre la portière, et puis on a fini par se mettre en route, et ma maison et mes proches ont glissé doucement dans la vitre comme des rêves emportés. Je regardais la petite famille que je laissais derrière moi et qui me faisait des au revoir de la main, Céline et Claude sur le trottoir et Jasmine et Benjamin sur le balcon et la frimousse de Pipo dans la grande fenêtre du salon, et tout à coup je sais pas pourquoi, mais j'ai eu le cœur gros, comme si je les voyais pour la dernière fois ou quelque chose comme ça. Je me rendais compte qu'ils ne savaient pas que je savais tout ce qu'ils savaient et qu'ils croyaient toujours vivre normalement, et ce savoir secret embrouillait nos regards et mettait beaucoup d'invisible entre nous. J'ai pensé qu'ils étaient des innocents, comme on dit qu'un petit enfant est innocent tant qu'il n'a pas encore conscience d'être quelque chose de mauvais. J'étais seul au monde avec Habéké et j'ai comme eu l'impression de comprendre que ma vie avait déjà commencé à leur échapper malgré eux et malgré moi et malgré tous les sentiments de l'homme. J'étais né d'une étoile inconnue, comme craché d'une galaxie jamais révélée, et ils m'avaient cueilli comme la fleur sauvage que je n'étais pas, mais voilà que je repartais vers mon étoile avec mon parfum inouï, et je les voyais me faire des signes de la main comme si je m'en allais mourir. J'avais cessé tout net de moquer Habéké vu que j'étais tout déchiré pour vrai dans mon intérieur et je me demande si Habéké m'a senti devenir brusquement quelqu'un d'autre. Je dirais que oui parce que lui aussi a tout à coup été pris de gravité comme par une fièvre, et moi à côté de lui je regardais la ville dehors qui vivait, la ville pleine d'âmes partout et de maisons habitées, d'enfants criards qui jouaient aux élastiques et à la tag glacée, de vieillards qui faisaient chauffer leurs jambes au soleil en rêvant de leurs anciennes lunes et en s'en allant lentement par la poitrine, de parents comme les nôtres qui traînaient tout un équipage avec leur existence mais qui s'efforçaient de jeter par leurs yeux des lueurs de sérénité. Je sais pas pourquoi, mais moi je voyais derrière tout ça une tristesse à couper le souffle, la tristesse de tout ce qui ne dure que le temps d'une cerise et qui s'apparente à un songe ou à une faiblesse des choses. Oui vraiment, j'avais le cœur troué comme une poche de culotte et je perdais dans la vie toutes mes monnaies. Pour refermer une plaie, il faut saigner dessus en abondance et faire confiance aux globulins coagulants qui sont payés pour ça, mais comment diable soulager la douleur qui brûle et dévore dans le royaume de l'invisible ? Les sentiments font mal comme des poignards de feu parce que les sentiments ont le pouvoir d'éventrer le cœur à travers la chair et les os, et ils percent comme une poupée l'homme le plus enfermé dans sa cuirasse des derniers retranchements et des derniers secours, et c'est en songeant à cette misère humaine que je suis passé de la ville à la campagne où les maisons s'égrainent, où le ciel s'ouvre sur toutes sortes d'infinités, où on sent la route devenir paresseuse et moins pressée d'aboutir quelque part, où on sent la vache aussi. Charmante avec toutes ses boîtes à lettres de métal argenté qui brillaient comme des casques d'armure au soleil, avec ses fossés où régnaient les énormes quenouilles en panaches de queues de renard, cette route épousait des vallons de paix en bordure d'une rivière sans histoire qui coulait comme une huile sainte, dans un paysage de fermes et de champs de céréales où ondoyaient des émotions. C'étaient des vastes frissons qui bouleversaient les épis jusqu'au bout du monde sensible et c'était comme ce qu'il y avait en moi à cette heure de ma vie. Habéké a baissé sa vitre et l'atmosphère a embaumé la terre délicieusement chauffée avec ses herbes magiques et ses potions. Au loin dans les champs de fourrage, sous les ormes en parasols qui faisaient songer aux acacias de l'Afrique d'Habéké, des vaches de deux couleurs broutaient les coteaux contre le ciel, et c'est alors que la station-wagon a ralenti pour quitter la route et pour enfiler un étroit chemin sous la feuillée pleureuse, une allée de cailloux bleus tout ornée d'épervières flamboyantes et de marguerites au cœur de lion rayonné, et soudain le chalet est apparu dans le pare-brise avec ses moustiquaires, ses châssis couleur de chocolat, sa cheminée en gâteau de miel et son toit en bardeaux de sable, comme givré de sucre.

« On est rendus, les gars!… »

Je me rappelle qu'on a ouvert les portières délicatement, avec une sorte de bonheur neuf dans le cœur fragile qui chancelle toujours comme une peur dans la tête. Des odeurs piquantes de fumier flottaient sur la campagne et on entendait surgir de partout les sifflets roulés des carouges à épaulettes et les babillages des gros mainates tout métalliques. On vivait sur la pointe des orteils pour ne rien abîmer et on a touché l'âme de la rivière qui s'écoulait, toute fraîche et grouillante de vie, entre nos doigts frémissants. Je me souviens du vent dans mes cheveux, de l'épaule d'Habéké qui effleurait la mienne en regardant les arbres et les nuages. Des libellules de cellophane se posaient sur les joncs pliés, et partout sur l'eau tiède et tranquille glissaient des essaims de petites lettres x, les patineuses; et des bouches de poissons faisaient des ronds mouvants en sifflant un peu d'air avec les éphémères.

Je me souviens aussi que mon cœur battait dans un autre monde.

« J'en reviens pas comme c'est beau ici.

– Merci, mais t'as encore rien vu. Rien que dans le jardin, on a un prunier de Damas, un saule de Babylone et un lilas de Perse, et aussi un puits où on tire l'eau à la pompe. »

Grands dieux, je me sentais chez moi dans cet ailleurs du bout du monde.

« Hou ! hou ! les gars ! venez manger ! »

Pendant qu'on s'extasiait, la mère d'Habéké nous avait préparé un bon petit gueuleton pas piqué des vers.

« Aimes-tu ça, des sandwichs au thon et du concombre salé ?

– Oui, madame Godin, j'adore ça. »

Je trouvais les parents d'Habéké très gentils. Ils commençaient un peu à dater dans un sens, parce qu'ils avaient fait la noce assez tard, mais dans leur tête ça jouait encore à la marelle. On sait qu'ils ont adopté Habéké par coopération internationale, c'est entendu et c'est tout à leur honneur, mais aussi, et faut pas balayer la poussière sous le tapis, parce que monsieur Godin avait des ennuis de tuyauterie comme on dit vulgairement. Pour parler avec pudeur comme une métaphore à la Gustave Désuet, je dirais que le pauvre homme n'avait pas les poissons assez vigoureux pour ensemencer les Grands Lacs de madame Godin si on me suit jusque-là. Alors ils ont lancé dans l'inconnu une sorte de bouée de la dernière chance et c'est Habéké qui s'est accroché à la onzième heure.

« Nous allons au village cette après-midi. Voulez-vous qu'on vous achète du melon ? »

On a comiquement répondu oui en chœur parce que, mon vieux, du melon c'est universellement exquis. Avec ceci Habéké s'est permis de demander cela : des guimauves pour manger avec du feu, parce que sans ça il n'y a pas de campagne.

L'après-midi venue, on a joué aux courageux explorateurs échoués dans la préhistoire peuplée de créatures horrifiques et on a mené toute une guerre contre des dinosaures et des ptérodactyles, parce que la guerre c'est un jeu d'enfants. C'était rien que pour s'amuser dans l'imaginaire bien sûr, mais, à un moment donné de notre préhistoire de quatre sous, au beau milieu des hostilités, un ptérodactyle s'est écrasé pour de vrai contre un camion de lait qui filait sur la route sans rien voir. Après la collision, Habéké et moi on s'est regardés très surpris et on a couru vers le drame pour prêter main-forte, et là, comme niché dans les trèfles pour mourir en paix, on a trouvé un pauvre rouge-gorge assommé raide, qui ne bougeait presque plus, malgré qu'il se convulsait encore un petit peu à cause du système nerveux, mais on se disait quand même que, tant qu'il y a de l'électricité dans l'air et les ailes, il y a la vie et son mince espoir. Je sais pas pourquoi, mais nous sommes allés nous imaginer qu'il aurait peut-être suffi d'une décharge électrique de deux ou trois volts pour remettre en marche le petit moteur de sang au cœur de l'oiseau. On a donc glissé le rouge-gorge moribond dans un gant de baseball et on l'a transporté dans le chalet où on lui a fichu les deux pattes dans une prise de courant, avec le résultat qu'on devine. On n'a réussi qu'à avoir l'air de deux beaux idiots, c'est tout, vu que le pauvre rouge-gorge était profondément mort sur notre conscience.

Pour réparer le mal qu'on avait fait, ou plutôt le mal dont par nos gestes nous avions permis et peut-être même brusqué l'existence, nous avons envisagé une cérémonie funèbre, pour mettre un peu de religion sur la plaie, mais je dois dire que c'est Habéké qui a insisté dans sa tristesse particulière, parce qu'il était toujours aussi animiste que dans ses terres natales, et c'est sur le tronc d'un peuplier qu'avec des clous et un marteau on a crucifié notre cadavre aux ailes déployées de Saint-Esprit. Ensuite Habéké a fait brûler en guise d'encens un petit tas de brindilles et de feuilles séchées, puis il s'est prosterné devant le rouge-gorge en lui chantant des prières en amharique par lesquelles il offrait ses excuses à l'âme de l'oiseau d'avoir commis la chasse aux ptérodactyles. De mon côté, pour ne pas m'engourdir dans l'incroyance et l'inaction, je me suis agenouillé dans l'herbe et j'ai ouvert mon recueil de poèmes de Gustave Désuet qui jouait le missel. J'ai prononcé dans les circonstances une espèce d'oraison comme on dit aux funérailles de ceux qui sont morts, et j'ai choisi un étrange poème que je ne comprenais pas tellement, mais qui avait le mérite de s'intituler « Mortalité ».

> *Ta tête*
> *cette traîtresse coiffée*
> *fière*
> *du diadème d'épeire*
> *qui la couronne.*
> *Aux désirs agonisants*
> *la mort ton dard inocule.*

On se recueillait dans l'ombre fraîche de nos silences pour ne pas nuire à l'âme sanctifiée qui pouvait maintenant s'élever librement dans le firmament nettoyé, sans craindre l'âme des chasseurs de ptérodactyles, ni l'âme des chats ni l'âme des camions de lait.

Avant de quitter les lieux de la crucifixion, Habéké a fait claquer la lame étincelante de son canif pour ouvrir d'un coup sec le ventre de l'oiseau. J'ai demandé le pourquoi du geste qui m'avait étonné et Habéké m'a répondu qu'en Afrique l'âme ne peut se muer en oiseau que si tout le sang du corps est bu par l'arbre, que si les os mêlent leur substance à l'écorce, et que si la moelle transmigre jusqu'à devenir par mystère de foi la chair des fruits rouges.

« Tu comprends, m'a dit Habéké, il faut absolument faire ça, au cas où cet oiseau-là serait l'un des huit grands ancêtres incarnés en tatagu kononi... »

J'ai eu les lèvres bées pour une courte lurette.

« Euh... je veux bien, moi, mais c'est quoi, ça, un takaguékonomie ?...

– Les tatagu kononi sont des petits oiseaux de feu vénérés par mon peuple. »

C'était beau de voir ça, toute cette si vaste croyance qui habitait ce si maigre garçon, comme notre foi nos églises, et Habéké était un petit homme très pieux dans un sens.

Peu après, nous sommes allés nous laver les mains dans la rivière et nous asperger les idées, et c'est alors que, sous le quai de planches, dans la transparence de l'eau, j'ai aperçu comme un serpent marin.

« Habéké, regarde entre les joncs, une anguille ! »

On était tout excités et on a eu envie de manger du poisson bon pour la santé, alors avec une branche d'arbre et le canif d'Habéké on a ouvragé une sorte de harpon pas fameux, mais tout de même. On s'est presque disputés pour savoir qui de nous deux projetterait l'engin, mais Habéké dans sa générosité m'a laissé l'honneur en ma qualité d'invité.

Un brin maladroit par manque d'hérédité, je suis allé me planter au bout du quai où j'avais l'air d'un petit dieu de la Chasse orgueilleux, ou d'un héros mythologique décoratif, et sans souffler j'ai fixé la proie de mes yeux fous de prédateur, pour la terroriser et l'hypnotiser, puis je me suis déchaîné et dans une tempête d'efforts et d'espoir j'ai fendu l'eau de mon trident formidable. Oh j'ai beaucoup éclaboussé les environs en voulant impressionner tout le monde, mais, quand le cyclone s'est calmé, l'anguille avait fui dans les profondeurs de son monde sans soleil et sans une égratignure.

« Je t'avais bien dit de corriger ton angle en tenant compte de l'illusion d'optique... »

Il voulait parler de la déviation des rayons lumineux à travers la surface, le petit génie, et ces reproches me sont un peu montés à cette tête de cantaloup que j'avais bien enflée et bien bouillante pour un petit cul de mon âge.

« O. K., c'est correct ! Sacrez-moi donc patience, toi pis ton angle ! Je veux pus jamais rien savoir des anguilles ni des illusions !

– Hé, toi, si tu commences à te plaindre, je te renvoie chez vous par le fond de culotte ! »

Il ne me l'envoyait pas dire par une fée, ce cher Habéké bien embouché, mais au fond il avait raison et je le savais, même si c'était pas facile de faire mouche avec tant de distance et d'illusions incluses entre l'animal et l'homme. Premièrement, avoir été fin, je l'aurais laissé faire, Habéké qui voulait embrocher le poisson pour me faire plaisir, et je suis sûr qu'il l'aurait harponnée avec science, cette anguille de malheur, avec ses qualités athlétiques. Deuxièmement, si Habéké savait faire ravaler d'aplomb leurs âneries aux écervelés des autobus scolaires, il se trouvait étrangement affaibli devant nous autres ses amis, comme si la peau coriace qu'il montrait dans l'obstacle s'amincissait dans l'intimité de la camaraderie, mais je sais pas si c'est ce que je veux dire ni même si je m'exprime bien. Autrement dit d'après moi, Habéké s'attristait du moindre mot d'un ami qui s'élevait plus haut que les autres, et je lui avais fait de la peine sur le quai, je le sais. Je pense que sa sensibilité venait de tout ce qu'Habéké charriait depuis le feu de sa naissance et qui l'enfiévrait juste sous sa peau délicate en vérité ; des êtres chers disparus du royaume terrestre des choses, mais qui l'habitaient comme des hantises, ou comme des épiphanies qui bougeaient sous la surface de son être plein d'âmes à fleur de chair, car Habéké était à lui tout seul un royaume des essences. Il se promenait dans la vie avec une tête pleine de paysages brûlés et d'ombres humaines, et on se demandait où il pouvait bien aller, ainsi chargé de tant de désastres. Évidemment je ne comprenais pas encore les choses de cette manière-là dans ce temps-là, et ça fait qu'Habéké et moi on s'est un peu boudés, mais le ridicule a fini par tuer nos enfantillages dans l'œuf et après on s'est excusés dans la honte qui ne fait pas de tort. Pour tout oublier au plus vite,

on a couru manger des profusions de tiges de rhubarbe qu'on agitait dans un gobelet de sucre en poudre pour les givrer complètement.

Plus tard, après le souper mais avant les guimauves, je me suis senti pas bien du tout et je suis allé
m'allonger sur mon lit pour peut-être endormir mes
malaises. J'avais bien envie d'accuser le poulet frit
qu'on avait mangé ce soir-là et j'espérais ne pas
vomir, puis je me suis assoupi et j'ai fait un cauchemar qui a commencé par une vision effroyable du
rouge-gorge crucifié qui se tortillait sur son arbre
comme une ombre démoniaque, puis qui réussissait à
se défaire de ses clous et à s'envoler dans la nuit pour
s'introduire dans le chalet par la cheminée. Ensuite
j'ai vu le rouge-gorge dans la maison où il a pondu
un œuf dans la bouche d'Habéké endormi, et Habéké
a avalé l'œuf, et l'oisillon a éclos dans l'estomac
d'Habéké. Juste à ce moment-là, dans la rivière, l'anguille blessée par le harpon a donné naissance avant
de mourir à un bébé anguille qui s'est faufilé par la
conduite d'eau, et, après avoir surgi du robinet de la
cuisine en se tire-bouchonnant, la petite anguille a
rampé jusqu'au lit d'Habéké pour se couler à son
tour dans la bouche de mon ami. C'est ainsi que le
poisson et l'oiseau ont dévoré Habéké de l'intérieur,
et je voyais dans mon rêve Habéké qui se tordait de
douleurs atroces et qui hurlait comme un possédé, et
soudain j'ai vu son ventre se fendre comme une
courge pourrie et l'oiseau fou m'a sauté au visage
dans une volée de plumes et de cris perçants pour me
ronger les yeux, et je sentais le bec et les griffes me
fouiller les orbites, et toutes sortes de liquides écœu-
rants me coulaient sur le visage et dans la bouche, du

sang salé et du jus d'œil amer, et j'étais aveugle et je souffrais et je gémissais, et tout à coup j'ai senti l'anguille me remonter comme une couleuvre le long de la jambe, du dos et de la nuque, jusqu'au nez où elle a pénétré en moi par une narine, et je la sentais, gluante et froide, qui se tortillonnait dans ma gorge, dans la salive et la morve, et je me suis réveillé en sursaut, les yeux et les entrailles mangés, en train de mourir dans la nuit.

C'était un cauchemar vraiment épouvantable, comme j'en ai fait peu, et, tandis que je revenais à moi petit à petit, je reconnaissais madame Godin dans la pénombre, la femme réelle du monde matériel, qui me frictionnait le visage avec une débarbouillette froide.

« L'anguille... l'oiseau... Habéké...

– Chut ! Calme-toi, c'est rien, tout va bien... »

Pauvre madame Godin, elle devait penser que j'avais des apparitions mythiques, mais c'est que j'avais peur encore, perdu autre part et les prunelles vitreuses, car il restait du rêve en moi et des traînées d'hallucinations comme des nappes de brume dans la nuit.

« Il est où, Habéké ?

– Parti faire un tour au village. »

Je secouais la tête comme pour la déprendre d'une folie et remettre mes yeux dans leurs cavités en amande, puis j'ai balbutié une question :

« Avez-vous... avez-vous remarqué des... des manières louches chez les anguilles... et chez les rouges-gorges... ces derniers temps ?... »

Madame Godin m'a fait des yeux agrandis à fleur de tête.

« Oh, toi, tu dois faire de la fièvre. Bouge pas, je vais te chercher une aspirine. »

Mais la fièvre c'est pour les chevaux, et pendant l'absence de madame Godin j'ai disparu en coup de vent. J'avais décidé que j'allais mieux, parce que mieux vaut guérir que prévenir le docteur.

Dehors, l'herbe des champs où je détalais était mouillée jusqu'aux genoux, mais le jour n'arrivait plus à la cheville de la nuit, sans compter les étoiles qui tombaient une à une dans la rivière comme pour la saler. Mes pieds se posaient devant moi sans regarder, en ne se demandant même pas s'il y avait un sol, et je filais doux en fendant des mouches à feu dans la campagne. Je pensais dans ma fuite qu'Habéké ne devait pas mourir. Nous avions trop d'univers à conquérir pour nous livrer déjà pieds et poings liés à la pauvre mort endormeuse du monde, et tout à coup j'ai senti en moi un grand besoin d'Habéké, comme l'inséparable compagnon de mon vivant, et dans la nuit en fuite j'ai vu l'avenir.

« Habéké !… Où c'est que t'es ?… »

Je coursais maintenant sur la route à la même vitesse que la lune entre les arbres et ça m'a encouragé. Tout à coup devant moi, au loin, est apparue une petite noirceur plus noire que la nuit, une noirceur en forme d'homme, et j'ai reconnu le profil familier qui avançait sur ses jambes typiques. C'était mon Habéké vivant de partout à la fois et jamais dévoré en rêve, Habéké mon type typique, et, quand on s'est retrouvés dans la cendre de la lune, une île a surgi des ténèbres autour de nous, une belle île de lumière. Et, dans cette île qui n'avait jamais vu d'hommes, j'ai vu l'espoir des désespérés qui se cherchent un pays sans mémoire où planter leur arbre de vie.

« J'ai eu peur ! J'ai cru que t'avais été mangé par des créatures monstrueuses ! »

Habéké comme moi était au bout de son souffle, ce qui était étrange vu son endurance proverbiale, mais c'était l'énervement. « J'étais… parti… par là… », qu'il m'a dit d'une voix hachée et en me montrant la nuit du doigt. Je l'ai laissé retrouver son haleine et ensuite il m'a expliqué en gesticulant beaucoup qu'il avait exploré une nouvelle voie ferrée dans les grillons, plus loin, là-bas, dans les proches environs du village sous la lune. J'avais remarqué qu'il avait dans la poitrine sa voix de cristal des beaux jours de joie folle et d'espérance, et je voyais ses yeux briller comme des perles dans l'obscurité. Je me doutais bien qu'il avait vu quelque chose de ses yeux vu.

« Je pense bien que j'ai peut-être aperçu au loin mon arrière-grand-père… »

J'ai rien contredit pour laisser sa chance au miracle, mais j'ai dit à Habéké qu'on y retournerait voir demain s'il voulait parce que moi aussi je voulais voir ça. Tu parles s'il voulait ! Il m'aurait traîné par les cheveux s'il avait dû.

Ce soir-là, sur le chemin du retour tout étoilé, j'ai pensé qu'on n'était sans doute pas des frères de lait, mais des frères de sang assurément, et j'ai vu qu'il nous fallait chanter ce sang-là. J'ai osé dire ce que je pensais vraiment.

« Sais-tu quoi ?

– Non, quoi ?

– Il faudrait s'épouser… »

★

J'avais pincé une corde sensible avec mon ampleur, et, pas plus tard que le lendemain matin, avec le soleil dans les yeux au bord de l'eau aux mille fleurs, Habéké et moi hantions les broussailles, happés par le sang et par la préparation de notre mariage selon les croyances pures et simples.

Dans une marmite volée en silence aux armoires de cuisine (une marmite appelée cocotte par la mère d'Habéké et presto par la mienne), on a commencé par malaxer deux poignées de terre natale avec un peu d'eau de la rivière sacrée (on s'est dit que la Terre entière est natale partout et pour tout le monde, qu'on soit Africain ou pas, vu qu'on naît tous quelque part qui revient partout au même à cause de la sphéricité ; et que c'est pareil avec l'eau qui est partout sacrée, à cause que l'eau est un cycle infini d'orages et d'évaporations, et qu'une goutte née en Afrique à la saison des pluies peut très bien rencontrer la mer un jour et traverser l'Atlantique avec les alizés pour à la fin remonter au ciel dans l'été des Amériques et pleuvoir sur d'autres peuples, et c'est ainsi que les hommes sont partout baptisés par la même pluie universellement renouvelée). Deux bouchées d'eau pour être exact, et recrachées aussitôt par nos deux bouches, pour purifier à jamais notre parole donnée dans le saint nœud des épousailles.

On avait ensuite grand besoin des sucs du tatagu kononi qui seuls pouvaient lier nos destins aux origines des peuples, et pour ce faire on avait le matin décloué le rouge-gorge du peuplier. On a eu de la misère, car on aurait dit que la moelle commençait à s'unir au cœur de l'arbre, mais on a réussi. On a donc plongé délicatement le tatagu kononi dans la marmite maternelle et on l'a bien arrosé de cette clairette boue sacrée, notre parole faite substance, puis on a allumé le feu des célébrations en tant que telles et on a déposé la marmite au milieu des débris enflammés d'où sont montés à travers les feuilles des panaches de fumée laiteuse et on a toussé. Les rayons obliques du soleil, apparus dans la fumée, tombaient en faisceau de paille sur nos têtes et c'était joli. Pendant que la nourriture spirituelle bouillonnait tranquillement dans le petit bouquet de flammes orangées, Habéké et moi on a renouvelé nos vœux de fidélité éternelle et infinie, ces promesses de la fois de la vieille gare, et du trésor enfoui sous la voie ferrée, et de la main noire d'Habéké par-dessus ma main blanche comme le sceau du secret. On a tiré la marmite du feu quand la vapeur s'est mise à siffler furieusement sous la petite toupie d'acier qui oscillait comme une folle et je me suis dit que madame Godin serait furieuse comme la toupie à cause que sa belle cocotte dispendieuse était maintenant toute carbonisée, que le manche avait fondu lamentablement vu la chaleur. Quand on a ôté le couvercle, nos yeux sont tombés sur le rouge-gorge tout blanchi et à moitié liquéfié qui flottait vaguement dans le jus écœurant.

« Il manque l'ingrédient le plus important... »

En prononçant ces mots, Habéké a sorti de sa poche son fameux canif de l'étripage et on s'est fait chacun une entaille sur la poitrine où le cœur bat, et nos sangs recueillis se sont mélangés au bouillon de culture qui chauffait de nouveau sur la flamme du rite. Avec des roches on a broyé le tatagu kononi, puis on a jeté la carcasse dans la brousse pour les renards ou les ratons laveurs. Il ne restait plus au fond de la marmite qu'une espèce de sauce d'un brun roux qui puait en fumant, mais Habéké et moi on s'énervait à cause de l'importance du moment. Là-dessus, pour que les principes soient actifs et qu'ils imprègnent jusqu'à la moelle l'être enrobé, on s'est mis tout nus dans la nature pour appliquer sur nos corps la sauce chaude comme une cire. De mon doigt trempé comme un pinceau, j'ai orné Habéké de décorations mythologiques géométriques, surtout les bras où j'ai fait courir des zigzags et des méandres, comme des trajectoires d'esprits qui vont et viennent de la terre au ciel, du visible à l'invisible, puis j'ai transfiguré son visage en masque d'ancêtre calciné, parce qu'Habéké était une figure brûlée d'Ityopya, comme disaient les Grecs de l'ancien monde dans l'encyclopédie, et puis j'ai dématérialisé ses jambes en fétiches, et j'ai dessiné de mon mieux une girafe, une antilope et une lionne qui s'abreuvaient au lac Tchad de son nombril – la lionne pour le courage, la girafe pour la grandeur d'âme, l'antilope pour la pureté et le vif. Quand j'ai eu fini mes peintures rupestres, Habéké m'a tout badigeonné de substance veloutée moi aussi, à cause de l'union symétrique, et il m'a tracé un gros tatagu kononi sur le visage et m'a dessiné un arbre avec des branches sur les bras, des feuilles sur les mains et jusqu'au bout des doigts, un tronc sur le torse et le dos, et des racines sur les jambes qui enfilaient aux orteils leurs chemins de radicelles qui marchent sous la terre. C'était un balanza, qu'il m'a dit Habéké, l'arbre surnaturel de son Afrique de toujours qui boit le sang ancestral des petits oiseaux de feu adorés.

Après les cérémonies du mariage et de l'embellissement magique des êtres par la sauce liante, on s'est dissimulés encore plus profondément dans les broussailles, parce que les peintures devaient vivre intensément toute une longue journée pour nous assurer un minimum d'éternité.

La matinée s'est déroulée sans encombre je dois dire, malgré les fourmis propres et figurées qui nous démangeaient les jambes. Les premiers problèmes sérieux sont apparus passé midi, quand les Godin se sont mis à nous chercher partout parce que notre absence inexplicable (ainsi que la disparition de la cocotte) commençait à les turlupiner. En tant que parents très inquiets, ils ont tout de suite réfléchi. La première chose qui leur est venue à l'esprit ç'a été la rivière, parce que les jeunes comme nous aiment beaucoup se noyer dans les rivières. Armés de perches de bambou, ils ont fouillé nerveusement les taillis au cas où nous y aurions été décédés, mais je ne parlerai pas de la correction qu'ils ont infligée à nos fesses en les débusquant par hasard (ça laisse de méchantes zébrures dans la mémoire, des coups de perches de bambou), parce que ç'a été une vraie humiliation que je cherche à oublier depuis lors.

«Pour l'amour du bon yeu, voulez-vous ben nous dire que c'est que vous magouillez là!»

On n'a pas eu le choix: on a surgi des buissons comme d'une boîte à diable, en costume d'Adam pardessus le marché, le corps recouvert d'une croûte brunâtre qui se décomposait en écaillures poussiéreuses au moindre mouvement. Hautement dépassés par nos événements, les parents ne pouvaient pas même s'imaginer l'ombre de la cérémonie qu'on fabriquait là, et ça n'aurait servi à rien de leur avouer qu'on célébrait nos justes noces.

« Allez vous décrasser tout de suite, mes p'tits maudits verrats ! »

J'ai bien vu que les Godin ne plaisantaient pas pantoute avec la foi des autres qu'ils ne comprenaient pas. Sur quoi nous avons plongé dans la rivière plus tôt que prévu, mais il faut parfois savoir faire le roseau dans la vie, comme l'a dit le philosophe qui m'échappe et me pardonne. Après la baignade mélancolique qui nous a lavés de nos ornements, madame Godin au visage congestionné, qui entre-temps avait renoué dans les braises avec sa cocotte ruinée, nous a transpercés d'un regard noir de femme fumante qui ne se connaît plus. Elle nous a châtiés de la belle manière, à grands coups de tue-mouches sur les fesses et les bras, et puis, tout essoufflée d'avoir cogné dur et d'avoir tant fulminé, elle a exigé un remboursement complet de son ustensile, d'une voix de tonnerre qui ne laissait planer aucun espoir de rabais.

Habéké et moi, nous étions désemparés en nous rhabillant sur une patte comme des flamants roses, parce que nous nous demandions bien si notre mariage était quand même valide, mais aussi parce qu'une marmite de cette sorte, ça allait chercher dans les soixante piastres au bas mot. Heureusement qu'on a eu tout de suite une idée lumineuse qui nous a éclairé tout l'intérieur de la tête et tout électrisé les yeux : on capturerait des huîtres de rivière qui vivent paisiblement dans la vase en famille, puis on les tuerait un peu avec toutes nos excuses pour peindre joliment leurs coquilles qu'on colporterait de maison en maison, chez les voisins du bord de l'eau, jusqu'au village s'il le fallait, pour ramasser ainsi des galettes de bon argent sous le couvert artistique, comme tout le monde. L'idée excellente a même été améliorée par Habéké : on ferait également un lucratif commerce de chair de perchaudes pour les friands de poissonnaille.

Une heure plus tard nous grenouillions sous l'eau, occupés à récolter les huîtres faciles à capturer à cause de leur vitesse réduite, voisine de l'inexistence. En moins de temps qu'il n'en faut pour perdre son temps, le seau débordait de beaux mollusques bombés qui achevaient leurs jours sans le savoir. C'est drôle une huître : on dirait une langue vivante qui se cache dans un poudrier.

Après la chasse aux coquillages, on s'est installés sur le quai à la pêche à la ligne et j'ai ri, parce qu'Habéké, avec son chapeau de paille et sa canne, ressemblait à un petit nègre en plâtre des jardins. On empalait à l'hameçon d'innocents vers de terre qui se tortillaient dans l'agonie, puis on les promenait cruellement sur les fonds sablonneux où les perchaudes éblouies se laissaient séduire fatalement. C'était un vrai jeu de massacre, mais c'est la vie, j'imagine. Bientôt une dizaine de poissons colorés gigotaient bien au frais dans une petite piscine gonflable en boudins. Les hachures d'or et de jade des perchaudes ont fait surgir une question dans mon inintelligence et j'ai pensé qu'Habéké le saurait vu son savoir ancien.

« Est-ce qu'on peut dire qu'un zèbre est tigré et qu'un tigre est zébré ?

– Ben non ! Les tigres sont tigrés et les zèbres sont zébrés et les raies sont rayées ! »

Je savais qu'il saurait.

★

Ce soir-là, au bout de notre étourdissante journée qui m'avait tué raide, alors que je ne m'attendais plus à rien de grave, le fantôme d'Habéké est entré dans ma chambre en silence et je n'oublierai jamais ses yeux fiévreux et pleins d'infini qui luisaient dans la pénombre inondée de lune.

« Je voudrais te montrer mon grand secret... celui que personne connaît... »

J'avais la couverture relevée jusqu'au nez et je sentais toute ma vie s'étrangler dans ma gorge, et puis j'ai vu Habéké tirer doucement une lettre de sous son pyjama.

« Un jour, je vais partir malgré mes parents... je vais retourner vivre dans l'autre monde d'où je viens... »

Sa lettre d'adieu à ses parents adoptifs était déjà écrite et j'ai lu les premières lignes à la lueur de la lune.

Chère deuxième maman,
Cher deuxième papa,

Autrefois vous m'avez sauvé la vie et je vous remercie mais vous ne savez pas vraiment ce que vous avez sauvé ni qu'on ne peut sauver la vie que pour un temps très court et qu'un bon jour vient le grand jour où la vraie vie invisible se réveille et ce jour est venu pour moi et c'est pourquoi ce matin vous trouverez mon lit vide et que...

Je n'ai pas pu descendre plus profondément dans cette lettre tout essoufflante de vérité et je me suis retourné brusquement dans mon lit pour me cacher le visage contre le mur, et le fantôme m'a quitté sur la pointe des pieds pour aller rêver du grand petit jour de son avènement. Je ne sais pas ce qu'il y a dans une lettre qui fait que ça touche un homme, même un jeune homme, mais j'étais remué d'avoir lu ce que je pressentais d'un autre côté, qu'Habéké avait déjà, comme moi, le pied dans un autre monde, et j'ai vu dans son secret la vraie promesse de notre mariage dans les broussailles, peut-être l'éternel vœu murmuré.

Ce soir-là j'ai pas trouvé le sommeil sous mon oreiller, car, plus léger que la vie elle-même, il s'était volatilisé dans les étoiles qui tremblaient sur le chalet et la rivière, mais aussi sur cette vie rêvée où Habéké et moi irions bientôt refaire le monde et fonder un nouveau peuple. J'avais les yeux grands ouverts sur la nuit peuplée de grillons qui chantaient à la lune, à travers les moustiquaires, et je flottais avec les rideaux soulevés par une chaude brise d'août. Perdu dans toutes sortes de rêveries, j'ai songé au sens d'une vie et j'en suis arrivé tout doucement à me dire que c'est mal de vivre tout seul, mal pour soi-même, vu que vivre seul, c'est s'entendre respirer jour et nuit jusqu'au vertige ; c'est sentir résonner dans ses tempes un cœur qui bat dans le vide, et y penser tellement fort, à ce cœur, qu'on dirait qu'il se serre comme un poing, parce qu'un cœur trop regardé veut s'enlever la vie ; et vivre seul c'est glisser lentement dans un désert où l'âme finit par faire dans la tête un bruit de grignotement de rat.

À force de m'enfoncer dans la solitude et d'écouter mon cœur battre, j'ai fini par réfléchir au mariage des êtres, non pas au mien symbolique avec Habéké, mais au mariage plus universellement répandu des hommes et des femmes, et j'aurais voulu savoir ce que ça faisait d'avoir une femme et des enfants, de les trahir et de les perdre, ou peut-être de les sauver pour un temps sans savoir ce qu'on sauve, et puis de vieillir et de se sentir mourir en silence. Et tandis que je songeais à toutes ces choses hypnotisantes, madame Godin ronchonnait dans son sommeil, dans la chambre voisine, rêvant peut-être à nos catastrophes, et son mari ronflait de tout son gros nez, et je me suis demandé si les parents d'Habéké s'aimaient encore d'amour, s'ils s'embrassaient des fois derrière leurs paupières closes ; puis ma pensée a dérivé jusque dans une autre chambre d'un autre monde, et je me suis demandé si Claude et Céline s'endormaient tout de suite, dos à dos, quand ils se glissaient sous leurs draps, à cause du mauvais côté de l'amour qui est constitué d'omoplates, ou bien s'ils se visitaient encore un petit peu, des fois, la nuit, quand personne ne sait rien, pour se montrer qu'ils existaient.

Je pensais aussi qu'ils auraient dû tout m'avouer dès le début de ma mémoire pour que je m'en fasse tout de suite une raison et que je naisse mieux, peut-être même du bon pied, on sait jamais ; ou bien alors ne jamais dévoiler ce mystère et recouvrir nos pauvres vies d'un sombre manteau de silence pour que je vive dans une éternelle nuit de ce côté-là. Mais il avait fallu qu'ils dégringolent dans le pire, dans la discorde et les arrière-pensées où j'étais mi-figue, mi-raisin, ni chair ni poisson, ni pur ni crotté, mais un saint-simoniaque de p'tit bâtard sans passé ni avenir, un enfant d'chienne sans attaches qui se perdrait dans le même oubli d'où il avait surgi sans raison.

Oui, vraiment, apprendre une telle nouvelle à un âge si tendre, c'était un coup de pied véritable au cul sensible de mon présent encore à naître.

VII

À la naissance du jour il y avait encore des reliefs de nuit tout partout dans mes draps, comme des miettes de biscuits qui piquent, et j'ai voulu me lever du pied droit pour tout mettre derrière moi, pour secouer tout d'un coup ces débris d'idées noires, mais les matins sont ainsi faits qu'on sait jamais d'où ils viennent ni où ils vont, ni si le pied droit ne serait pas le pied gauche par malheur.

J'ai enfilé mes pantoufles en me frottant les yeux et finalement je me suis levé des deux pieds en même temps, puis j'ai quitté ma chambre en m'efforçant de sourire et ça m'a porté fruit : Habéké m'est apparu par enchantement dans la cuisine ensoleillée avec son sourire d'idole intouchée et ses grands yeux chocolatés.

« Salut ! Voudrais-tu un verre de jus d'orange ? »

J'ai vu dans ses yeux qu'il était redevenu son mystère.

Ô Habéké de mon silence et de mon secret, comme dirait Gustave, ô Habéké de la sainte Afrique, tu étais le sorcier de mes jours, le petit homme de couleur dans ma grisaille. Je n'étais pas levé depuis trente secondes que déjà je souriais sincèrement et que le cœur me picotait comme une envie de vivre.

« Savais-tu ça que tu parles dans ton sommeil ? »

Ah. Encore une vérité qu'Habéké m'aura apprise.

« Tu murmures drôlement, comme si tu priais. »

Ainsi donc j'égraine dans la nuit mes malheurs en chapelet et j'adore dans le noir toute une tripotée de dieux tombés du plafond, mais ça creuse l'appétit, ces folies-là, et ce matin-là on a mangé des toasts sans trop parler mais en n'en pensant pas moins, parce que les parents rêvaient encore dans leur monde où la maison flottait sur ses bruits.

Sur la table sous mon nez, entre les pots de confitures qui étincelaient dans un rectangle de soleil, se trouvaient toutes nos œuvres éparpillées. Ici je dois me confesser : les coquilles d'huîtres peintes par Habéké étaient tout simplement incroyables, alors que les miennes n'étaient que croyables, les pauvres petites. Non, je n'étais vraiment pas doué quand on comparait les œuvres de nos vies. Les plus admirables réalisations d'Habéké figuraient le gnou à queue blanche et sa femelle bien-aimée, le gnou qui est un bizarroïde mammifère des savanes, une sorte de mélange exotique hybridé d'antilope, de cheval et de taureau, mais l'animal d'un noir absolument profond, avec le bout de la queue pur, semblait éclater de superbe dans la beauté argentée d'un rêve, car la peinture à l'huile avait été appliquée du côté nacré des choses, ce qui explique l'effet mais certainement pas le talent. Côté commercial, la coquille se vendait une piastre, comme le filet de perchaude, excepté que chaque poisson se détaillait en deux flancs qui doublaient d'un coup le chiffre d'affaires, ce qui était excellent pour nous qui avions des buts lucratifs bien avoués. Pour garantir la fraîcheur des chairs délicates pour les fins palais, les filets se voyaient tenus sous zéro dans une glacière et du papier journal qui nous salissait les mains de ses mauvaises nouvelles.

C'est ainsi qu'on est partis de grand matin, avec tout notre bataclan et notre cœur plein d'essor, pour les chalets du bord de l'eau. On vendait pas des encyclopédies, mais on se sentait capables de choses.

« Tu vas voir, on va faire fortune.

– J'espère, j'espère, sinon ma mère nous tuera peut-être. »

La première halte se trouvait du côté de chez monsieur Aldéric Loiselle, un vieux curé fatigué dont Habéké m'avait un peu parlé, tout voûté comme une église sous le poids du temporel, qui avait mis sa chère ancienne paroisse en veilleuse dans l'attente d'un jeune vicaire qui n'existait pas, mais l'éminence avait encore beaucoup de religion dans la voix et le regard, et dans les mains aussi, qu'il avait pâles et humaines.

« Salut, les gars ! Entrez, entrez ! Qu'est-ce qu'on peut faire pour vous ? »

Il disait « on » comme si ce n'était pas lui qui pouvait quelque chose pour nous, ou comme s'il n'était pas tout seul dans la vie, et je n'ai pas compris tout de suite où il voulait en venir, mais finalement je pense qu'il avait raison, vu que personne ne peut rien tout seul et que nul n'est seul qui a la foi, mais je dis peut-être des bêtises là.

« Nous sommes deux jeunes artistes, a lancé Habéké sans tarder, et nous travaillons à réparer des peines causées à une pauvre dame.

– Ah bon ! a sursauté le vieux curé. Et qui donc est responsable de ces peines ?

– Euh… nous autres…

– Ah bon ! Et qui donc est la pauvre dame en question ?

– Euh… ma mère à moi… »

Le vieux curé a bien ri, en grimaçant et en se tenant les reins, mais il semblait s'intéresser à notre cas et il nous a fait déballer toute notre quincaillerie. On a ouvert nos valises, comme deux petites arches de Noé, pour étaler les coquilles sous ses yeux religieux et pour expliquer nos œuvres de notre mieux.

« Ici, vous avez là un couple d'orignaux extraits de nos belles forêts canadiennes. La femelle c'est la coquille qui n'a pas de bois sur le crâne, parce que les bois servent aux mâles dans la saison des amours, vu que c'est eux qui doivent impressionner physiquement la femelle qui, elle, est plus secrète et chimique dans certaines régions, mais elle est quand même très sensible aux grosses bêtes qui sont propices au rut, comme… euh… comme dans la vie de tous les jours, quoi… et après la saison des amours ils ne s'aiment plus, comme tout le monde… »

Je m'étais aventuré par mégarde sur un terrain dangereusement glissant et je ne savais plus stopper ma chute dans l'indignité, mais le curé a ri encore une fois, ce qui m'a rehaussé, puis il a acheté mes orignaux sans cérémonie et j'étais bien honoré de sa confiance.

Ensuite de quoi, ç'a été au tour d'Habéké de défendre ses couleurs avec des propos.

« En Afrique, il y a partout beaucoup de missionnaires qui répandent toutes sortes de bonnes nouvelles, mais parfois aussi des un peu moins bonnes, comme l'enfer, mais c'est pas grave aujourd'hui parce que je voulais surtout vous demander si vous saviez quel est l'animal indigène qui pique le plus la curiosité des missionnaires.

– Le lion ?

– Non.

– L'éléphant ?

– Non.

– Le python ?

– Non plus.

– Bon, eh bien je donne ma langue au chat.

– C'est la mouche tsé-tsé ! Voici d'ailleurs un jeune couple de mouches tsé-tsé qui va impressionner tous vos amis. »

Le curé a acheté sans se faire prier les mouches habilement grossies d'Habéké qui avait vraiment de vastes talents d'entomographe, ou d'entomophile je ne sais plus. Par ailleurs je n'en revenais pas de voir un curé avec autant de vif-argent dans les poches. Ensuite le bon monsieur Loiselle a voulu savoir ce qu'on trimbalait dans la glacière et on a répondu « un délice pour vos papilles ». Il nous a fait ouvrir la glacière pour déballer nos bonnes intentions, puis, les yeux pétillants d'étincelles et la bonne salive au coin de la bouche, il a acheté deux filets qui dépassaient nos espérances.

« C'est que voyez-vous j'ai une gentille servante, nous a dit monsieur le curé dans un clin d'œil qui voulait tout dire, oui, une bonne petite sœur de Sainte-Jeanne-d'Arc qui vient faire tout mon ménage et mon repassage, et, comme elle arrive cette après-midi, eh bien je m'en vais joliment la surprendre en lui préparant des bons filets de perchaude à la crème, oui… arrosés d'un bon petit muscadet bien frais, oui, oui… »

Il avait soudainement l'air moins fatigué, monsieur le curé, avec une jolie flambée de couleurs au visage, et j'ai pensé que c'était déjà les effets toniques et médicinaux du poisson bon pour la santé, vu le phosphore. À la fin il nous avait donné de la main à la main six piastres bien comptées, si bien qu'Habéké et moi on s'est sentis devenir riches plus vite qu'on pensait, puis monsieur le curé a trouvé que nous étions vraiment des bons gars et il ne s'est pas gêné pour encourager nos profits que Dieu bénissait. Il nous a même invités à revenir le voir dans son extrême gentillesse, et puis on a dû le quitter avec nos regrets, vu que le devoir de la réparation nous appelait ailleurs où nous n'étions pas encore.

« Il a l'air un brin riche, le curé, mais ce n'est peut-être pas grave.

– J'en sais pas trop rien, moi, c'est pas vraiment ma religion tu comprends. »

Habéké voulait parler de l'Église catholique telle qu'elle hantait nos environs, et pas de l'apostolique des premiers temps purs, qui elle avait eu des ramures jusque chez lui par la langue guèze de la liturgie et les dérivés coptes du fond du Nil Bleu, ce qui fait qu'Habéké enfant avait un peu connu la *Schla Maryam,* l'Image de Marie, et le *Gebre Mesquel,* l'Esclave de la Croix qui ne fait pas l'ombre d'un doute.

Avec la glacière entre nous qu'on portait ensemble d'une main chacun et nos petites arches de Noé de l'autre, on marchait dans la campagne le nez dans le vent et les poches bourrées de piastres. On dira ce qu'on voudra, mais, l'argent, ça fait relever le menton.

« C'est-t'y un presto ou bien une cocotte qu'il faut dire ?

– C'est les deux, ou bien ni l'un ni l'autre, mais ça coûte cher et c'est tout ce qui compte. »

Le merveilleux couple de gnous, il s'est vendu à la maison suivante chez des jeunes personnes qui vivaient dans les fines herbes et la poterie. La fille en elle-même me semblait magnifiquement belle avec ses cheveux qui tombaient, mais qui tombaient bien, des beaux cheveux de paille brûlée qui ennuageaient ses bijoux d'yeux et qui foisonnaient tout autour de son visage de lait et de lumière, comme pour le présenter religieusement au monde, dans une crèche de messie. Son amoureux, ou du moins je l'espère pour lui, était une sorte de grand barbu broussailleux, assez roux queue-de-vache dans la fleur de l'âge, qui avait l'air fin avec son sourire du dimanche, ses yeux médaillés de bronze, ses mains artistiques et ses sandales tressées qui lui faisaient les orteils tout écartillés en éventail. Ils ont d'abord écouté nos flots de bonimenteries, toutes ouïes dehors, pour en temps et lieu exprimer leurs éloges pour les coquilles qu'ils avaient l'air d'adorer comme c'est pas possible. Mais ce que j'ai aimé le plus, c'est qu'ils ont joint le geste du portefeuille à la parole du complimenteur. Ça fait qu'ils ont acheté les gnous comme j'ai dit, ainsi que les léopards, les zèbres, les impalas, les hippopotames, les lycaons et les girafes d'Habéké, et jusqu'à ses zygènes de la filipendule, qui sont des papillons aux antennes renflées en massue. Ils ont dû se ruiner, les beaux jeunes potiers, car ils ont aussi acheté celui de mes couples qui ressemblait le plus à rien.

« Qu'est-ce qu'ils représentent au juste, ces dessins-là ?

– Eh ben, euh… c'est des narvals…

– Des narvals ? C'est quoi, des narvals ?

– C'est les mammifères marins qui donnent naissance aux licornes.

– On les achète ! »

Ils raffolaient vraiment des arts plastiques, des sentiments grandioses et de l'expression des passions, mais pas tellement du manger qui les laissait froids. Ils n'ont rien voulu savoir de nos perchaudes qui pourtant excitaient les vieux curés, mais les goûts ne se discutent pas, comme disait l'empereur Maxime si je ne l'abuse, et nous les avons laissés végéter en paix dans leur grand ennui végétarien où ils devaient bien avoir leurs plaisirs.

Avant notre départ, ils nous ont fait le cadeau d'une amitié : une poterie en forme de cochonnet pour veiller sur nos économies ! Nous les avons remerciés avec infusion, puis de là nous avons fait d'autres sauts de crapaud, de chalet en chalet, jusqu'à la rupture de stock tant désirée. On a tout vendu en quelques heures, et même mes rats musqués qui pourtant faisaient mal à regarder.

Revenus au chalet d'Habéké, on a vidé sur un lit la tirelire en terre cuite qui renfermait trente-deux magnifiques belles piastres qui sentaient bon la monnaie fraîche. Dans l'après-midi on a accompli de nouvelles pêches miraculeuses et réalisé de nouveaux chefs-d'œuvre, puis, le lendemain, le commerce florissant de nos fruits de mer rapportait la somme fara-

LE SOUFFLE DE L'HARMATTAN

mineuse de trente-six piastres liquides, qui s'ajoutaient aux trente-deux de la veille, ce qui faisait qu'on pouvait rembourser en un tournemain la cocotte-presto et passer enfin dans une autre vie. Tout fiers de nos actes, on a remis une émouvante liasse de soixante piastres à madame Godin qui n'en croyait pas ses yeux ni nous les nôtres, puis, lancés sur notre erre d'aller comme des petits hommes d'affaires en appétit, on a prolongé notre industrie durant deux jours, histoire d'enfourner dans notre cochonnet une cinquantaine de nouvelles piastres bien tassées pour que ce soit un magot à notre échelle plus humaine.

Une nuit, Habéké et moi nous sommes allés explorer plus avant son chemin de fer du premier soir, avec dans mon sac à dos notre inestimable trésor qu'on voulait sacrifier à un idéal plus élevé, et que c'était même une façon d'abolir l'Accident entre nous, vu que ce genre de sacrifice est incompréhensible aux Accidentaux. Habéké filait déjà loin devant moi vu ses jambes, et moi je funambulais sur un rail qui brillait sous une lune décroissante qui m'évoquait un bout de poème de Gustave Désuet, mon autre seul ami, mon meilleur tigre de papier.

> Oh, comme il est beau
> Ce petit panache de faune
> Qui dresse dans le ciel
> Ses cornes de cabri !

C'est le petit de la chèvre, un cabri, et c'est Habéké qui m'a appris cette vérité zoologique, Habéké qui savait de quoi il parlait, lui qui, étant petit en Afrique, voyait les gens étendre sur leurs blessures de la bouse de vache et la bouillie d'estomac de cabris fraîchement éventrés. C'est pas croyable, c'est sûr, mais c'est parce que c'est loin, l'Afrique, si loin que là-bas ils n'ont pas le même zénith que nous, donc forcément pas les mêmes étoiles ni les mêmes constellations, comme l'Épi de la Vierge qui les fait rêver, et l'Atelier du Sculpteur qui les fascine, et le Phénix et l'Hydre femelle qui les survolent ; et puis ils ont une autre lune qui penche avec des oscillations de moïse, et un autre soleil qui se lève dans un grand vertige, à la verticale de l'univers, droit comme une sagaie flambante, tellement que les Africains équatoriaux ne connaissent pas les aurores ni les crépuscules, et que leur jour explose tout d'un coup pour éblouir la nuit, puis que leur nuit, le soir, tombe comme une cloche de bronze sur le jour pour l'anéantir. Oui, il est bien loin du monde que je suis, cet étrange monde d'Afrique, et je ne sais pas si un jour je vivrai assez pour y aller, mais, malgré cet éloignement incompréhensible qui me fait frissonner de peur, je peux dire que, à travers la source qu'était Habéké, je l'ai touchée un peu, cette Afrique-là qui me touche, et j'ai senti sur ma nuque le vent de sa vie comme le souffle de sa mort, et je vois que quelque part au plus profond de moi-même, là où je me connais si peu et où tant de mystérieuses transparences me troublent, je suis cet inconnu, je suis ce continent fantastique qui dérivait dans mon ami, sur ses mers de nuit, et je sens que j'effleure tout un monde de feu.

« Hugues ! J'ai trouvé mon arrière-grand-père ! »

Me revenant de loin, Habéké accourait à toutes jambes, en poussant des cris dans l'espace et en brandissant un petit objet à son poing.

« Regarde ! C'est lui ! Mon arrière-grand-père ! »

Il tenait fermement entre ses doigts tremblants une espèce de petit bout de tuyau de bois que je ne comprenais pas.

« Ben oui ! Regarde comme il faut ! C'est une pipe !

– T'es malade ! C'est pas une pipe, ça !

– Oui, c'est un morceau de pipe de baobab et c'est sûr que c'est celle de mon arrière-grand-père, parce qu'il vivait toujours au bout d'une pipe comme celle-là !

– Comment tu peux savoir ça ? C'était en mille neuf cent quelque !

– Je le sais, c'est tout, pis ça veut dire que mon arrière-grand-père est passé par ici et qu'il est peut-être pas loin ! »

Habéké s'est mis à crier dans la nuit le nom de l'homme de ses rêves : « Dedjené ! Dedjené ! » comme si ç'avait de l'allure, et j'ai même entendu un chien de ferme partir à hurler au loin pour répondre à l'écho insensé. Oh, j'y croyais, moi aussi, à son arrière-grand-père, mais pas ce soir-là, parce que ce n'était pas un fragment de pipe de baobab, et j'ai bien été obligé de laisser la foi de mon ami s'éteindre d'elle-même comme un feu de brousse. Je me suis assis sur un rail comme si de rien n'était, et, dix minutes plus tard, l'évidence avait frappé Habéké et l'avait étourdi assez pour le faire taire comme j'avais cru, alors il est venu doucement poser près de moi, sur le rail, une fesse lourde de sens. Il avait eu comme une attaque d'espoir qui ne pardonne pas et il en était resté tout ébahi. On est demeurés comme ça une secousse, sans parler, à écouter le chant des grillons et les lointains hurlements des chiens dans la campagne. Le serein nous tombait sur les épaules et on avait un peu froid, tandis que sur nos têtes la lanterne de la lune en papier de riz éclairait la fumée d'un nuage, et moi j'y voyais luire la lune d'Afrique, le bijou dans la mémoire d'Habéké, cette lune qui dans ma folie est un talisman d'opale du roi Salomon oublié dans le nombril de la reine de Saba, ou peut-être était-ce l'os de seiche des cages à perruches, où les oiseaux de nuit affûtent leur bec avant de fondre sur terre y crever les yeux des enfants qui rêvent trop, ou peut-être que c'était tout simplement l'âme de Gustave Désuet qui, sous ce déguisement de satin, *dans la nuit promenait son hectare de safran.*

J'ai longtemps cherché l'univers caché dans cet alexandrin épicé, dans cet hectare de safran, jusqu'à ce que la lune errante, sur ma tête, me révèle l'âme de mon poète.

« Penses-tu qu'on est encore jeunes ? »

Habéké avait enfin rouvert la bouche pour me tirer des songes avec sa question angoissée, toute pleine d'existence.

« Pourquoi que tu me demandes ça ?

– Parce que j'espère qu'on est encore jeunes. »

Habéké se mourait d'anxiété, parce qu'il se savait né de l'Afrique où les humains ne vivent pas vieux, et cette crainte immense lui bouillonnait dans le sang comme une maladie.

« Inquiète-toi pas, on est jeunes pour encore un bon bout de temps. »

En prononçant ces mots j'ai eu l'illumination d'un moment propice et j'ai sorti de mon sac notre cochon gros d'espèces.

« Veux-tu qu'on l'enterre ici ? »

Habéké m'a fait oui d'un léger secouement de la tête et nos ongles ont creusé un petit logement sous une traverse pour y oublier sans sourciller notre tire-lire tout enflée de piastres de papier. On voulait à tout prix sacrifier cet argent pour l'honneur d'un idéal qui brillait en nous comme un Sacré-Cœur, l'idéal des pauvres qui ne veulent plus du monde qui les mange, ni de ses peurs ni de ses vies impuissantes, mais qui s'en détachent comme des fruits mûrs pour prendre le ciel et s'envoler dans l'illusion où se cache le miracle.

On a frotté nos mains terreuses sur nos pantalons pour les épurer, puis on a quitté le petit cercle d'esprit de ce nouveau lieu sacré pour vagabonder on ne savait trop où, dans le vent neuf qui nettoyait le firmament, mais Habéké, encore tout ennuagé de sa vieille espérance, avait besoin de troubler le silence qui l'étranglait et il m'a entretenu de son arrière-grand-père qui s'était appelé en vérité Mekkonen, autrement dit « le Noble », mais qu'Habéké nommait dedjené, « mon arrière-garde », vu l'affection qui le remplissait.

C'est ainsi que nos pas conjugués nous ont ramenés sur le vieux pont de fer qui enjambe la rivière la nuit, où on s'est arrêtés pour asseoir nos jambes dans le vide en pendules, et Habéké m'a demandé :

« C'est où l'aval et c'est où l'amont ?

– L'aval c'est en descendant le courant par en bas, comme quand t'avales, pis l'amont c'est en remontant par en haut, vers la montagne d'où le tout origine. Comme si c'était le Nil Bleu, la montagne serait dans ton dos. »

L'eau magnifiquement noire coulait sous nos pieds en mélasse onctueuse, et son extrême politesse rendait la pareille au ciel en reflétant ses étoiles revenues. L'union de l'eau et du ciel était si parfaite au loin que l'horizon étoilé me semblait la promesse d'une ère nouvelle, d'une éternité rien qu'à nous.

« Sais-tu jusqu'où elle coule, la rivière ?

– Jusqu'au fleuve.

– Est-ce qu'elle a des îles, cette rivière-là ?

– Je sais pas trop, j'ai jamais été voir plus loin que le village. »

Une folie naissait en moi et je sentais Habéké capable d'accueillir en lui cette vie naissante, vu qu'Habéké dans mes yeux était un berceau à sa manière. Je voyais l'île de cette folie qui me créait, et c'était notre île à nous seuls, celle qui fleurissait lumineusement dans mon grand rêve des choses et qui se colorait d'un destin, et c'était une terre aimée du lointain où renaîtrait le monde à zéro si nous voulions vraiment tout refaire à main nue et ensemencer des Amériques et des Afriques neuves dans un jardin de senteurs et de chants.

« On va partir... on va s'en aller sur une île... si tu veux venir... »

Habéké m'a pas répondu. Il a rien dit sur le coup, mais je savais qu'il savait où je voulais en venir et qu'il s'envolerait avec moi, parce qu'il le voyait aussi bien que moi, ce ciel qui s'ouvrait comme la blessure mortelle au flanc des choses, et voici que dans le sang du monde s'enflammait le mirage de

notre terre vierge où nous irions planter nos balanza
et nos peupliers, où chanteraient nos rouges-gorges et
nos tatagu kononi rayonnants!

On est restés un peu longtemps sur le vieux pont
de fer, à regarder couler en chœur la rivière couverte
d'étranges sillons, comme si elle portait en mémoire
des blessures secrètes, les griffures des noyés, et j'ai
songé à la mort des mondes, à la naissance des folies
et à l'exil des saint-simoniaque de p'tits bâtards d'enfants d'chienne.

*

Tout à coup, comme ça, débouchant des lointains ténébreux, un train est apparu sans crier gare.
Sorti tout droit du fond des nébuleuses, ce train fonçait vers nous avec ses allures de cyclope enragé, et
nous, nous nous trouvions paralysés comme des la-
pins au beau milieu du pont ferroviaire, trop loin à la
fois des deux rives qui auraient été si salutaires à
notre survie. Sur le coup j'ai presque ri, comme saisi
d'un hoquet nerveux, et puis j'ai compris que notre
vie pauvresse ne valait pas cher de sa peau. Comme
le train n'avait pas l'intention de s'arrêter à nos problèmes philosophiques, la décision ultime s'est prise
dans la peur de mourir écrabouillés, qui est une
bonne chose. Habéké et moi on a eu un éclair, et l'im-
pulsion nous a haussés dans l'impensable. Sauter
dans le vide était la seule chose intelligente à faire, et
juste à temps à part de ça, parce que le train nous a
frôlé les tempes comme un météore, mais nous étions
sains et saufs, à dégringoler dans le vent et les étoiles.
Au bout de l'ébouriffant tourbillon qui nous avait

exorbités, j'ai senti le monde matériel tourner en eau. La rivière venait de s'ouvrir comme un rêve pour nous engloutir, et les algues s'enroulaient autour de nos jambes pour nous noyer plus profondément, mais nos têtes ont su refaire surface. Il fallait vraiment beaucoup de natation pour se sortir vivants de cette soupe et c'est une chance qu'Habéké et moi nous en avions, encore qu'à la fin j'aie dû agripper mon ami par le fond de culotte pour le hisser dans les herbes.

Une fois les berges gagnées, on a eu le temps d'y penser comme il faut, et, franchement, je n'en croyais pas les amandes de mes yeux et je n'en revenais pas de moi-même, et Habéké aussi se demandait s'il se pouvait. On a revécu mentalement, et c'est alors qu'une autre idée du tonnerre m'est née dans un point d'exclamation.

« ! »

Habéké a bien vu que je m'étais illuminé en m'écriant.

« T'en rends-tu compte ?... Si on avait eu des ailes, on aurait pu... ! »

Oui, il s'en rendait parfaitement compte, vu qu'en tant que frère de sang il avait déjà pris la mesure du possible et qu'il entrevoyait le nécessaire.

Nous voulions nous envoler comme des âmes ou des oiseaux, car les ailes ont toujours figuré la solution rêvée des éternels insatisfaits.

VIII

Munis de nos ruses de Sioux en bandoulière, nous évitions tous les types de bruits imaginables parce que les Bessette petit-déjeunaient paisiblement dans la fenêtre de leur cuisine et qu'ils devaient avoir l'ouïe plutôt fine, vu ce silence des grands espaces où leur agriculture foisonnait. Une divine odeur de bacon et d'œufs frits entourait la maison comme une atmosphère et je salivais un petit peu parce qu'on avait juste mangeotté quelques cuillerées de gruau dans notre empressement à quitter le monde.

Jouant le rôle de l'ombre derrière un arbuste grâce à sa couleur appropriée, Habéké ajustait un caillou massacreur à son lance-pierres redoutable, un gros slingshot en forme d'*i* grec, autrement dit d'Y. De mon côté, j'avais rampé courageusement sur le côté du poulailler pour être aveugle aux yeux du réputé féroce monsieur Bessette. Les innocentes poules picoraient leur grain en tournicotant sur la basse-cour ensoleillée, sans se douter de la mécanique du drame qui se huilait dans leur dos et qui écourterait cruellement leur existence, mais, comme me l'a un jour expliqué Habéké qui connaissait bien le sang des poulets sous l'arbre-gardien, le destin d'une poule est d'être tuée plus souvent qu'à son tour.

Sur ce, Habéké m'a jeté un œil grave pour me signifier qu'il était fin prêt, puis il s'est positionné avec ses longs membres tendus, et dans un élan d'hérédité il a libéré tout d'un coup ses énergies implacables. Le spectacle m'a grandement impressionné, puis au bout de la basse-cour la pierre sifflante a éclaté une tête de poule, ce qui m'a impressionné davantage. C'est alors qu'après la mort j'avais une certaine utilité : équipé d'une longue corde nouée en lasso, je devais me débrouiller pour ramener à moi les poules fraîchement décédées, et franchement j'ai fait merveille. En un quart d'heure, nous avions abattu et récupéré quatre poules, ce qui est appréciable, mais tout à coup le chien s'est comme réveillé au bout de sa chaîne et s'est mis à japper l'alerte. J'avoue qu'on a craint pour nos paires de lunes en peau de menton, parce que monsieur Bessette était bien capable de nous tirer dans le derrière des balles de cayenne ou de gros sel, vu qu'il avait le calibre nécessaire, et une telle poivrée nous aurait fait danser dans la basse-cour une cuisante gigue de Saint-Guy. Mais nous avons pris la clef des champs et dans notre fuite éperdue nous devions courir les baguettes en l'air avec les volailles aux poings, parce que nous avions le maïs aux oreilles, et je me demande si monsieur Bessette a eu le temps de voir, par la fenêtre, ses poules mortes survoler son blé d'Inde au bout de nos quatre longs bras maigres, dont deux étaient noirs comme le poêle, ce qui aurait pu nous trahir.

De retour au chalet, on s'est enfermés dans le hangar pour y déplumer nos oiseaux et ç'a été un autre grand massacre, vu qu'on n'avait jamais fait ça. À la fin on avait de la plume partout, jusque dans les sourcils et sur la luette, mais on a bien vu qu'on était en présence de quantités insuffisantes pour espérer nos projets mythologiques, ça fait qu'on est allés voler en cachette une oreiller dans un placard de madame Godin qu'on a éventrée pour son duvet.

Plus tard, à la tombée du jour qui nous faisait là une faveur, nous avons pu nous précipiter dans la phase deuxième de notre plan scientifiquement parfait, et nos silhouettes louches ont traversé la route pour s'élancer jusqu'au bout des champs de trèfles où nous avions mission de dépouiller quelques ruches de leurs rayons de miel de première nécessité. Près des maisons blanches des abeilles qui irradiaient de lune, nous nous sommes enroulés dans un tortillon de moustiquaire que nous avions préalablement perforé pour le plus grand confort des deux bras utiles.

« Es-tu prêt ?

– Euh... je pense bien que oui...

– Vas-y, soulève ! »

J'ai soulevé comme j'ai pu le couvercle de la ruche plus pesant que je pensais, tandis qu'Habéké que je voyais mal dans le noir empoignait les abeilles endormies comme tout le monde dans les alvéoles de la nuit. Habéké a réussi, par des moyens palpables, à glisser habilement un rayon dans le grand sac que je tenais par les dents. Tout victorieux, on a tout de suite voulu répéter l'opération délicate pendant qu'on y était, pour doubler le miel au cas qu'il en faudrait plus, mais on a frappé un nœud quand un souffle de vent s'est glissé dans le deuxième sac pour le ravir dans l'atmosphère.

« Dépêche ! Le rayon me glisse des doigts !

– Je trouve pas l'autre sac !

– Niaise pas ! »

Eh oui, le rayon s'est violemment aplati dans l'herbe et les abeilles se sont réveillées de mauvais poil comme de raison. Du coup on a filé comme des flèches vers le chalet avec en main notre seul rayon de miel comme un rayon d'espoir, mais c'est alors que, dans notre course ventre à terre, les moustiquaires se sont tout démantibulés pour la joie des abeilles rouges de colère. On est arrivés au chalet boursouflés où on a vite frictionné nos piqûres avec du vinaigre, et la première chose a été madame Godin.

« C'est vous autres, ça, qui avez découpé tous les moustiquaires du hangar ?... »

On n'a pas dit non, vu que ça n'aurait pas été très poli de nier l'évidence.

« Ah ! mes p'tits maudits choléras du bon yeu ! Ça vient de vous coûter quinze piastres ! »

On a repeinturluré des coquilles et retué des perchaudes.

IX

L'atmosphère sucrée au pollen et à la mûre vibrait de taons et de mouches à chevreuils.

À l'orée du vieux pont ferroviaire, dans une neige d'aigrettes de pissenlits, j'achevais d'agglutiner les dernières plumes de poule et d'oreiller sur les longs bras d'Habéké avec la glu des abeilles, tandis que mes ailes quasiment sèches brûlaient de se déployer dans la pureté du firmament. Nous avions peut-être l'air de flotter au-dessus de nos affaires sous ce beau soleil d'été, mais notre cœur battait fort dans son trou et nous avions les nerfs sur le vif à cause du baptême de l'air qui fait frissonner tout l'homme sensible.

« O. K., j'ai fini, tes ailes sont prêtes, mais… qu'est-ce qu'on fait si ça vole comme du monde ?

– On va se poser sur le gros arbre, là-bas.

– O. K., mais oublie pas : faut pas voler trop près du soleil. »

En enfilant le vieux pont jeté comme un arc-en-ciel de fer sur la rivière, on a causé des sarcasmes bien entendus, vu qu'une poignée de jeunes désœuvrés infestaient le bord de la rivière où ils passaient l'été à ne rien faire pour avoir plus tard des souvenirs de jeunesse. Un gars à lunettes, d'après ce que j'ai pu voir, nous a crié qu'on était des beaux moineaux rares, puis ses copains se sont tous mis à siffler et à nous salir d'insultes, à nous traiter vulgairement de serins et de perruches, mais Habéké et moi nous étions intouchables dans notre dégaine et dans notre souveraineté sur le vide.

« Il va mouiller à siaux : les poules sont jouquées ! »

Il pleuvait des moqueries, mais on a poursuivi notre vie personnelle sans rien dire ni regarder nulle part sauf l'éternel horizon bleu, tout solennels dans nos rôles quasiment bibliques, moi dans la peau de l'ange blanc du Bien, Habéké dans l'ange noir du Mal, jusqu'au milieu du pont où on s'est immobilisés, exactement là où le train de nuit nous avait surpris à rêver l'île de nos renaissances, et puis, au bout d'un pas risqué en avant, en équilibre précaire au bord du rien, on s'est dressés sur la pointe des orteils pour déployer dans l'azur nos longs bras mielleux et emplumés, et je mettrais mon aile au feu qu'en cet historique instant précis on a réussi à impressionner jusqu'aux jeunes baveux qui nous regardaient la bouche bée et les bras ballants.

L'heure était venue pour nous de changer de nature humaine et d'aller régner sous d'autres longitudes, loin de l'Accident et de ses faux espoirs, et c'est alors qu'en chœur on s'est précipités dans le vide en battant le ciel de nos ailes en éventails. J'avais les yeux clos pour mieux voir le miracle, et j'y croyais tellement que j'aurais juré qu'on prenait le ciel comme des saints martyrs, mais c'est d'une grave illusion que je me nourrissais, et, si nous n'avons pas

volé trop près du soleil, du moins avons-nous manqué d'envergure, et c'est encore une fois la rivière
d'eau douce, tout en bas de l'illusion, qui aura calmé
le feu de notre blessure d'amour-propre et de notre
déchéance.

C'est les jeunes gars, avec la chaloupe d'un
pêcheur qui trôlait, qui nous ont tirés de la sauce
pleine de plumes et de points d'interrogation, mais
nous surnagions autour de la question.

« Vous êtes pas mal flyés, vous autres ! Pourquoi
vous avez sauté en bas du pont ? »

Il y avait quelque chose comme du respect au
fond des regards.

« Vous êtes too much ! Vous êtes sharp ! »

On a laissé en eux beaucoup d'impressions for-
tes, mais en vérité on était Gros-Jean comme devant,
vidés de substance et dépouillés de vie, sans île et sans
ciel, trempés jusqu'aux moelles comme des lavettes.
On est rentrés sans parler, en traînant notre déconfiture par les sentiers du bord de l'eau, et c'est madame
Godin, encore elle, qui nous a vus jaillir des buissons.

« Que c'est que vous avez encore fait, vous
autres, mes venimeux ? Pourquoi vous avez tout
salopé votre linge ?

– Parce que la rivière était pleine d'eau. »

Elle nous a trouvés pas mal insignifiants, madame Godin, mais je me propulse à la défense d'Habéké qui trimbalait dans sa caboche un esprit des
plus géométriques : s'il n'y avait pas eu d'eau dans la
rivière, nous n'aurions pas été trempés – logique.
C'est comme l'histoire des chapeaux : si les chapeaux n'existaient pas, les hommes n'auraient pas de
tête.

Toute froissée par notre mutisme fraternel, madame Godin nous a flagellé l'arrière-train avec son mètre de trente-six pouces, qui est une verge impériale, la verge des Anglais.

« Je sais pas pourquoi je vous frappe, dans le fond, mes p'tits maudits verrats. Vous comprenez jamais rien, ni du cul ni de la tête ! »

Je pense que finalement on lui tombait pas mal sur les rognons, à madame Godin, mais qu'est-ce que tu veux, c'est ça qui est ça.

Peu après la pénitence, tout en se frottant les fesses pour endormir la douleur, Habéké m'a glissé une juste remarque dans le tuyau de l'oreille.

« Les parents, ils sont comme ça : si tu les questionnes sur leur privé, tu reçois une claque, mais, si tu ne réponds pas quand ils te questionnent sur ton privé, tu reçois une claque encore plus doulou-reuse ! »

★

Ce soir-là, après mûres réflexions, j'ai laissé entendre officiellement à Habéké que je désirais signer un traité international d'assistance mutuelle avec son ministre de l'Intérieur, ou sa ministrelle s'il voulait, je n'étais pas sexué. Chargé de ma requête, Habéké a pivoté sur ses talons pour aller consulter son ego dans son pentagone ou son bureau ovale, en fait je ne sais trop dans quelle maison blanche il singeait les grands de ce monde, puis il a fini par m'envoyer un télégramme plié en forme de supersonique. En déplis-sant la missive diplomatique, j'ai lu dans le fuselage une note qui disait : « Certainement mon cher collègue, le ministre dispose d'un crayon aiguisé qui vous attend. » Je me suis alors présenté en tant que sous-ministre pour donner le ton aux discussions exploratoires bilatérales entre nos nations, et j'ai dit pour rire que j'étais un bras droit et que c'était un bras d'honneur aux pays accidentaux. On a commencé par faire les fous en parlant avec des mots longs comme la jambe pour se moquer des culs de poule qui se fourrent une conscience dans le derrière, et, après quelques minutes de ce petit jeu, on a compris qu'au fond il n'y avait rien de drôle là-dedans, parce que la mort des uns fait la vie des autres. Pas de quoi rire pantoute.

> *L'homme qui s'éteint*
> *comprend*
> *le soleil qui tremble*
> *devant l'enfant qui naît*
> *phénix de l'éternel cri.*

Comme deux petits miroirs placés l'un devant l'autre, Habéké et moi on a réfléchi à l'infini. Avant d'aller se coucher pour de bon, on a quand même signé, sous l'œil de feu de Gustave Désuet, une convention de Genève qui nous liait l'un à l'autre en cas de désintégration du soleil.

Cette nuit-là, le sommeil m'a encore joué des tours et j'en ai profité pour songer à l'éternel cri du monde. C'est ainsi que j'ai eu l'idée d'aller renaître des cendres de mon peuple, de l'autre côté des choses, mais je veux dire les choses au sens propre, les choses en tant que globe terrestre, et je suis allé réveiller Habéké pour lui parler de la Chine où vivent les Chinois qui ont tous le devoir sacré de planter un arbre durant leur séjour sur la Terre, et qui vénèrent les hirondelles au point de manger leurs nids en potage, ce qui m'inspirait des réflexions nocturnes, vu les balanza et les tatagu kononi.

« La Chine, que j'ai dit à Habéké, c'est quasiment l'humanité, mais une humanité mystérieuse, celle des boussoles et de la poudre à canon, un monde à l'envers du monde, et j'aurais bien envie d'y aller pour voir si je n'y serais pas un homme heureux, parce que, vois-tu, je me dis que, peut-être, vu mes yeux, je veux dire mes yeux en amande venus de pères inconnus, je me dis qu'ils viennent peut-être de Chine, mes yeux, comme le jade, et moi aussi par la même route de la soie… »

Habéké, qui m'écoutait malgré la noirceur tardive et les paupières lourdes tout autour de nous, s'est montré spirituellement très réceptif à mes raisonnements du milieu de la nuit. À vrai dire, on avait si hâte de repartir qu'on s'imaginait déjà au milieu d'un champ avec nos pelles, épaule contre épaule, en train de creuser dans le trèfle un trou immense pour déboucher dans la Chine du fond du puits, ma terre peut-être promise, de l'autre côté de la mer et des Himalayas. Et le plus beau, c'est que ce ne serait pas l'obligation d'assistance mutuelle de notre convention de Genève qui nous y mènerait ensemble, dans cet empire du lointain milieu où vivait peut-être un autre moi-même, mais l'amitié entre les peuples, ce qui m'épatait royalement.

★

Le lendemain, Habéké et moi on se crachait dans les mains sous le saule de Babylone avec des pelles de jardin. Avant d'ouvrir la terre, on a demandé un peu pardon aux esprits souterrains en leur promettant de reboucher le trou après notre arrivée en Chine, et le creusage a commencé vers sept heures du matin. Au début on piochait gaîment en se disant qu'on avait hâte de voir apparaître les premières racines de riz, et moi je brûlais de voir mes yeux au fond du trou, et puis la terre fraîchement remuée sentait bon, et le tas grossissait à vue d'œil, et d'après nos calculs nous en avions pour cent dix-sept jours de travail, ce qui nous semblait humainement possible à longue haleine, et nous prévoyions aboutir en Mandchourie, mais il ne fallait pas dévier de notre axe par crainte de surgir sous le lac Baïkal ou sous la mer Jaune, parce que l'eau d'Asie se serait alors toute vidée par le trou pour inonder tout ce côté-ci de la Terre, et ç'aurait été la catastrophe, le déluge pire que dans la sainte Bible. Et puis peu à peu l'effort colossal nous a fait suer beaucoup et la fatigue nous a fait taire, et vers midi nous étions déjà à moitié morts et le trou ne nous arrivait qu'aux hanches. Après dîner on a repris nos travaux herculéens et on a bêché comme des forcenés jusqu'à quatre heures de l'après-midi, l'heure fatale, vu que c'est à ce moment-là que madame Godin, qui nous cherchait partout pour nous confier je ne sais quelle commission, nous a découverts dans notre trou, au détour de son beau saule de Babylone.

« Maudit câlique de salament d'hostique ! Que c'est que vous faites là, dessous de mon bel arbre ? Vous creusez votre tombe, ou quoi ? »

Piteux comme un chien battu, Habéké lui a expliqué que nous voulions nous rendre en Chine par le plus court chemin pour y résoudre une énigme, mais madame Godin, peu compréhensive, a appelé son mari à la rescousse, et monsieur Godin est arrivé en coup de vent pour crier qu'il allait nous tuer si on ne remettait pas tout de suite sa terre où elle allait, c'est-à-dire dans le trou, et ça nous a pris jusqu'à la noirceur pour tout reboucher, mais là il s'est produit un phénomène inexplicable : on est restés pris avec de la terre en trop, comme si le trou n'avait plus été assez vide, et on a dû tout pelleter le surplus inutile dans la rivière, ce qui l'a toute salie.

« Prenez donc le plus court chemin vers votre chambre pour faire vos valises, nous a lancé madame Godin quand on est rentrés tout courbatus. On repart demain. »

Plus tard ce soir-là, avant d'éteindre la lumière pour la nuit, Habéké est venu me remonter le moral.

« De toute façon, qu'il m'a dit, je m'étais mélangé dans le diamètre de la Terre, et, d'après mes nouveaux calculs, on aurait dû creuser pendant trois cent mille jours, ou huit cent vingt et un ans… »

L'énormité m'a un peu soulagé et j'ai bien dormi.

X

Trois cent quinze… trois cent quatorze… trois cent treize…

J'avais entrepris de compter à rebours tous les poteaux de téléphone qui me séparaient de la demi-maison peuplée de mes demi-proches qui m'attendaient dans ce demi-monde des demi-mesures, et ça me rendait à moitié fou. Il y avait quatre cent quatre-vingt-deux poteaux entre là-bas et l'ici, plantés de loin en loin comme en souvenir de l'Esclave de la Croix, et je le savais de la source sûre d'Habéké qui chaque fois les comptait par mélancolie sur ses chemins du retour.

En avant, madame Godin ne disait rien parce qu'elle jonglait, mais ça tombait bien d'une certaine manière, parce que monsieur Godin, lui, n'entendait rien vu qu'il conduisait.

Habéké à mon côté laissait vaguer ses regards dans le soir de ce dimanche fraîchement tombé dans nos yeux tristes, comme pour éteindre le monde créé, et Habéké semblait songer au sens profond de sa deuxième vie mais non la moindre.

Deux cent soixante-cinq… deux cent soixante-quatre… deux cent soixante-trois…

Moi pendant ce temps-là je me métamorphosais silencieusement dans ma nymphe comme un zygène de la filipendule, comme tous ces peuples aux coutumes mouvantes pour cause d'individus et d'évolution qui fait que les us changent au fur, et qu'un homme en devient un autre par défaut, si je vois ce que je veux dire.

Dehors, des lumières scintillaient au bout des champs, comme une frontière de lointains petits feux de brousse, et j'aurais voulu m'envoler pour ces brousses ; ou des guirlandes de lanternes de la fête des dragons et m'envoler pour ces Chines, mais on n'avait pas eu le temps de vivre jusqu'au bout.

Deux cent onze... deux cent dix... deux cent neuf...

C'est en scrutant les champs exagérés de notre peuple qui n'a pas faim, et c'est en pensant à mon demi-monde que j'ai vu en songe le tiers-monde et ses champs de poussière, et dans ce songe m'est revenue à l'âme l'histoire qu'Habéké m'avait racontée pas plus tard que le matin même au bord de la rivière, alors qu'Habéké avait eu la parole facile, comme en Afrique où tout se transmet de bouche à bouche grâce à des mémorialistes qui savent jusqu'aux moindres détails des mythes et des légendes et qui les disent à tout bout de champ pour permettre le savoir et propager des mondes, et ces narrateurs-là, qui sont les livres vivants des illettrés, sont ce qui s'appelle des griots.

Habéké ce matin-là m'avait dans un généreux élan de griot raconté cette histoire qui parle de terres stériles et de miracles humains, et le récit, si je puis, a son décor en Afrique où nous apparaît une maigre femme accablée d'enfants, qui vivote sur une sale terre inculte, mais qui laisse survivre en elle la folie d'espérer en des temps meilleurs. Chaque année, la pauvre femme sème des ares et des hectares dans l'espoir de moissons, mais rien ne sort de la terre fendillée malgré la souffrance et les pleurs. Une saison, voici que la femme décide d'ensemencer le monde sans arrêt, jour et nuit, avec l'énergie de son désespoir, et un soir, au bout de ses peines, elle perd tous ses ongles qui tombent dans la terre déchirée. La pauvre femme ensanglantée ne voit qu'au matin qu'elle a perdu ses bouts de doigt, mais elle est trop épuisée pour souffrir, et puis, sous le soleil sans pitié du midi torride, elle meurt devant ses enfants tout dépouillés de foi qui n'arrivent plus à y croire. Les heures tournent comme les vautours au ciel brûlé et chacun sur terre se voit sur le seuil d'une fin atroce, mais, le lendemain de la mort de la femme, les enfants découvrent dix pousses verdâtres qui pointent le nez à travers la terre croûteuse, dix petites têtes buissonneuses nées des dix ongles germés de la mère défunte, tombés dans les labours comme des samares. L'événement court comme une poudre vers tous les horizons et les gens accourent du plus loin pour voir l'extraordinaire, et, par tout le pays, personne n'avait jamais vu d'arbustes si fabuleux, qui au lieu d'avoir des feuilles avaient des mains humaines plein leurs branches, des centaines de vraies petites mains de chair et d'os qui étalaient leurs doigts tremblants en ombelle vers le ciel comme pour implorer la pluie de toute leur grâce. Le lendemain, par un miracle jamais vu et à peine cru, la pluie tombe d'abondance pour la première fois depuis des lunes, et de magnifiques fruits

rouges éclatent au bout de chacun des doigts de cha-
cune des mains de chacun des arbres ; des fruits qui
poussent en ongles juteux à la vitesse de l'éclair. Aussitôt les enfants ranimés se mettent à récolter tous ces
fruits surnaturels qui finalement seront leur salut, et
c'est ainsi que la mère morte devient le totem de tout
un peuple plein de mémoire.

Cent soixante et un... cent soixante... cent
cinquante-neuf...

Je m'ensommeillais dans l'obsession des générations et je voyais naître un monde neuf dont personne ne se doute, loin de l'hypocrisie de l'Accident
et de l'ère adulte, et j'y étais avec Habéké et on y
avait des enfants à notre tour de rôle, des enfants qui
nous transformeraient en totems dans le sillage de
notre crevaison qui surviendrait comme tout ce qui
existe, et puis le monde après nous hériterait d'une
ethnie digne de ce nom, et nous pourrions crever en
paix, dans la pensée que nous ne sommes pas des
points finals dans le tourbillon cosmique des choses
insignifiantes.

Je me suis endormi sur mon bout de banquette,
mon front bouillant contre la vitre fraîche, et j'ai
senti tout un chapelet de petites lettres z me sortir de
la bouche en me chatouillant les dents.

★

Tout à coup une voix amie dans les étoiles.
« On est arrivés, Hugues... You ! hou ! »
Habéké me tapotait les joues d'une main amusée
pendant que l'autre secouait les puces de mon enco-
lure. J'ai ouvert l'œil sur la voix et mon premier

regard perdu s'est écrasé contre la porte d'entrée de ma demi-demeure dressée comme une muraille dans les ténèbres.

Déjà monsieur Godin avait ouvert le coffre pour me redonner ma valise de bâtard et moi j'étais tout égaré, sans voix et sans allure.

« Bonsoir, mon grand, m'a dit madame Godin qui n'avait plus l'air de m'en vouloir d'être un garçon. Tu reviendras nous voir, O. K. ?... Et dis bonsoir à tes parents... »

J'ai murmuré « oui, oui, bonsoir, bonsoir, et merci beaucoup », et puis j'ai salué Habéké de mon meilleur regard d'homme, celui qui dit au revoir et non adieu. Dans ma valise, enfouie entre les florilè-ges de notre Gustave Désuet bien-aimé, flamboyait la convention de Genève dont je sentais la chaleur jus-que dans ma main et par voie de fait jusque dans ce cœur que j'avais ce soir-là, parce que je ne vivais pas sans savoir qu'avec Habéké j'étais moins seul que toujours.

Les roues ont roulé et les phares en pinceaux ont balayé une petite brume comme le voile d'une pensée, et puis la nuit a avalé la station-wagon qui glissait lentement contre les choses sans couleur. Ô petit griot, que je pensais, ô grand petit Noir de mes Afri-ques, je te souhaite une bonne nuit.

★

Soudain j'étais tout seul comme un dindon sur le trottoir, seul et chosifié dans un flottement, à peine l'ombre de quelqu'un dans la lueur du lampadaire grésillant, et devant moi la maison me dominait comme une peur de vivre et me fichait des jambes en flanelle.

Ce soir des fins d'août tentait de me caresser les cheveux de ses dernières douceurs, mais, raide comme un râteau et l'oreille bien tendue, je m'étonnais plutôt de ces éclats de voix et des échappées de rires qui me provenaient assourdis de derrière mon demi-chez-moi. J'ai enfoncé ma valise dans l'épaisseur de la haie pour être libre de mes mouvements et je me suis faufilé comme un vent dans le jardin de noirceurs qui noyaient la maison. Après m'être blotti dans la ramure piquante de notre sapin bleu qui chatouillait de son haut plumeau le ventre de la Grande Ourse, j'ai pu voir le monde sans être vu, et le grand rectangle de lumière de la cuisine m'a révélé mes demi-parents, Céline toute défrisée et Claude un peu pompette, qui s'exclamaient comme rarement, au milieu d'une grappe d'oncles et de tantes qui cerclaient la table encombrée de chips barbecue, de crottes de fromage, de verres de coke et de bouteilles de bière. D'après ce que je voyais par la baie vitrée, ils étaient tous venus passer la soirée à jouer au vingt-et-un avec leurs histoires à coucher dehors, et chacun dans son appât du gain reluquait les cartes en éventail du voisin. Et puis ça fumait à pleins poumons, ça s'empiffrait et ça buvait, ça postillonnait partout en hurlant, ça gageait de l'argent et ça trichait, ça sacrait et c'était mal élevé. Moi, je ne pouvais m'empêcher de penser que tous autant qu'ils étaient connaissaient par le menu toute l'histoire de ma personne et de ma problématique humaine, et qu'ils devaient se farcir la citrouille de commérages dans mon dos, au sujet de l'origine de mon moi natal ou de la provenance de

mes yeux, en se disant tiens, le Hugues, là, le trouvé-
dans-le-carrosse, il n'aurait pas par accident les yeux
de Tartempion, l'assisté social qui reste en haut de
l'épicerie; ou de Chose, là, le bandit; ou bien de
Machin Chouette, le malade mental qui se tient au
bowling du centre d'achats?... Mais chut! pas si
fort, le v'là qui s'en vient, le p'tit bâtard d'enfant
d'chienne…

Soudain, Céline s'est levée debout pour aller
ouvrir la porte d'en arrière, et voilà-t-il pas que m'est
apparu dans le jardin nul autre que le Pipo en personne, mon demi-pitou sorti prendre le frais du soir,
et qui a fini, tout heureux au bout de son museau,
par me flairer dans mon bouquet d'épines et par me
faire toute une fête de petit chien qui s'est ennuyé.
Ô Pipo, que je pensais, ô toi mon petit enfant de
chienne qui me comprend et que je comprends si
bien, tu m'as manqué comme je t'ai manqué! L'œil
scintillant et la langue pendante jusqu'à terre, il pi-
rouettait comme un fou, mon Pipo toupinant, et,
quand je me suis agenouillé pour le flatter, il m'a
poussé dans la main sa truffe mouillée, et dans un
grand souffle fétide il m'a torchonné le visage d'une
bonne couche de bave fraternelle. Oh, comme ça aime
bien, un chien, que je me suis dit dans mon moi-
même, ça bave d'amour comme on voudrait que les
gens bavent, mais les gens aiment bien mieux baver
de méchanceté, c'est plus facile et plus drôle, et j'ai
pensé que Pipo était peut-être le dernier vrai cœur
tendre de cette famille qui, après mes deux semaines
d'éclipse, me faisait l'effet d'un clan de barbares, et
j'ai compris que je n'avais plus envie de partager la
vie de ces gens-là, dans cette maison-là, où j'incarnais

le doute et l'impureté, où j'étais un peu de l'étrangeté des autres races ramassées dans mes amandes. Non, je ne voulais plus vivre dans un sens, mais en même temps je voulais vivre plus que la raison, car jamais au grand jamais je n'avais voulu ce qui s'appelle mourir, mais voici que j'avais changé beaucoup et que je brûlais de quitter cet univers fini où régnaient partout, dans le secret des froids cœurs durcis, l'hypocrisie et l'ère adulte; et j'avais le désir de triompher dans ma vie, pour aveugler d'existence tous ces débris qui ne savaient plus voir les royaumes, parce que tous dans leur repli se mouraient déjà de vieillesse éternelle, et chacun entraînait les autres dans sa chute et les autres entraînaient chacun dans l'abîme du rien, et même monsieur et madame Godin s'abîmaient infiniment, que je me disais, oui, même eux mouraient d'ignorer tout ce qu'Habéké était vraiment en lui-même, toutes les éternités qu'il dissimulait dans ses entrailles brûlantes sans en parler à quiconque, sauf à moi qui n'étais qu'un souffle. Eux dans l'inconscience œuvraient à la perte de l'âme en voulant faire d'Habéké un enfant lessivé pareillement aux autres, un petit pâlot à peau sombre, un pur à peau sale, un premier communiant teinté, alors qu'Habéké était sans pareil et sans égal, même si les autres jeunes, à l'image des parents, ne voulaient pas tellement s'encombrer de lui, une telle chose. Oh, tout le monde osait sourire à perte de vue dans sa sournoiserie, comme toute ma famille, comme mes oncles et mes tantes qui riaient tout le temps pour des imbécillités dans leurs petits cercles étouffants des dimanches de mes désespoirs d'après la messe, mais qui, revenus dans leurs rues de dégoût, roulaient un œil visqueux dans les rideaux du salon pour guetter les nègres apparus dans le voisinage, les wops, les pollocks et les tchinetoques qui faisaient baisser le prix des maisons du quartier autrefois si pur et si riche, mais aujourd'hui gangrené jusqu'à l'os. Est-ce qu'il faut dire « un noir se noie » ou « un nègre se nèye » ? – Sais pas. – Il ne faut rien dire, mais le laisser se nèyer, ha! ha! Qu'est-ce que ça fait un Italien étendu sur la pelouse? – Sais pas. – Ça fait de l'engrais, ha! ha! Sais-tu pourquoi les Chinois sont jaunes? – Sais pas. – Parce qu'ils pissent contre le vent, ha! ha! ha! Oh oui, ça s'en tapait le cul sur les chaises et ça riait comme des chiens dans mes dimanches de chien enragé, mais derrière ces murailles de fausses dents, derrière le grand mensonge d'émail des grandes gueules de chiens sales, se terrait l'obstination de tout purifier et de tout étouffer, et de nous désenvoûter du seul soleil que j'aime, mon soleil de vie, mon visage de tous les dieux fondus et enflammés, l'Ityopya qui ravageait d'amour la figure brûlée d'Habéké, l'astre de mon jour qui aveuglait Claude et Céline qui par lâcheté ou par cruauté avaient toujours refusé ma naissance profonde, parce que je ne valais pas le sang bleu de leurs rêves et que je ne coulais pas d'abondance dans leurs veines tricotées serré. Eh bien, j'avais des p'tites nouvelles pour eux autres : nous allions nous purifier nous-mêmes et j'allais trouver moi-même, tout seul et avec Habéké, celui que j'étais quelque part en secret, l'homme enfoui qui m'attendait comme une mémoire qui m'avait devancé sur le chemin du silence, car je sentais que j'existais ailleurs depuis longtemps déjà, dans un autre cosmos tapissé d'étoiles jamais adorées, et c'est encore et toujours la même île que je voyais flotter dans la chaude lumière d'Exil, où je m'attendais moi-même comme quelqu'un d'autre assis sous un arbre, mais je m'étais dédoublé pour tromper des peuples d'incroyants. Et l'heure était venue pour le p'tit saint-simoniaque de se révéler au milieu des bâtards et des p'tits maudits verrats, pour tromper tous ceux qui croyaient le tromper depuis toujours.

Grands dieux, j'avais vraiment pas de quoi rire, et j'ai chuchoté à Pipo de ne rien dire, de me laisser faire mes folies et surtout de ne pas me suivre dans la nuit, et j'ai vu dans ces émouvants yeux humides, dans ces miroirs de l'âme chienne, que j'avais été compris et que je ne serais pas trahi par le règne animal. Là-dessus j'ai agi en homme d'abondance de foi et j'ai saisi une grosse pierre à mes pieds pour la projeter de toutes mes forces dans la grande fenêtre de la cuisine qui dans un vacarme de cristal a explosé en millions d'étoiles émiettées. Une intense chaleur m'est née dans la poitrine, là où l'âme siège à la droite de l'être, et des ailes de feu ont poussé à mes chevilles, et c'est alors que j'ai pris mon envol à travers la haie, comme un mythique petit Mercure sorti en flèche de l'encyclopédie, pour aller me perdre au loin, entre les lignes fuyantes de la voie ferrée argentée.

J'ai traversé les vastes terrains vagues des sombres industries installées dans le nord de notre petite ville remplie d'anonyme, où ne brûlaient dans l'isolement que de rares ampoules nues, ennuagées de mannes tourbillonnantes, qui n'éclairaient rien. Dans les parages des entrepôts croulants et des vieux hangars où pourrissaient des bidons d'huile, le chemin de fer principal se démultipliait en voies de triage et j'ai erré parmi de vieux wagons oubliés dans la rouille par la mémoire des locomotives. Sur cet étrange monde froid et métallique fourmillaient des étoiles nerveuses et je me souvenais que, étant petit, je croyais le ciel tout fait de carton, comme une sphère gigantesque qui englobait même la Lune, le Soleil et les étoiles, et que la seule manière de découvrir le secret de la vie dans l'univers, la seule manière possible de soulever un coin du voile sur le visage de Dieu, aurait été pour un homme de s'élever jusqu'au zénith des galaxies pour y découper un trou dans la voûte cartonnée, y passer la tête et découvrir de l'autre côté le diable savait quoi, mille vérités aveuglantes, ou peut-être une seule vérité, mais la vraie, la plus grande, la Clé, mais, mon doux ! qui pourrait jamais connaître tous ces autres firmaments incroyables qui révolutionnaient au-delà de la sphère du visible ? Personne, que je me disais. Jamais personne.

Dans le ciel sans les voir, j'entendais grincer les chauves-souris qui de leurs petites griffes de pipistrelles égratignaient la margoulette de la lune variolée, et dans le noir sans les entendre je voyais clignoter des flammèches, les lucioles des prés qui m'accompagnaient en porte-bonheur dans ma fuite obscure, et tout à coup je me suis surpris à rêver de l'Afrique d'Habéké, au monde de mon ami qui venait si souvent se perdre aux alentours de sa vérité, et je me voyais déjà enfui par les vallées des hauts plateaux du Nord avec lui, mais un obstacle de taille est venu soudainement couper les ailes à mon Ityopya et je me suis mis à songer au pire : à la rentrée des classes du surlendemain, au triste mardi de la fête du Travail, et j'ai eu envie de vomir l'école, ce petit monde fermé qui ressemblait trop au grand monde ouvert sur le vide ; l'école, cette odyssée des riches et des forts qui coûte toujours extrêmement cher aux pauvres et aux faibles, qui leur coûte les yeux de la tête et la peau des fesses, vu que les faibles et les pauvres sont des cibles immobiles et sans défense qui font tant saliver l'égorgeur qui sommeille dans la race des loups –, car oui, le loup est un homme pour le loup.

J'avais encore frais à la mémoire la chair fraîche d'un ami à nous qui était gros, avec Éric comme prénom, mais qui était une crème d'homme, il faut le crier sur les toits. Par ses dimensions rares et son cruel manque de vélocité, l'Éric en question offrait aux carnivores une cible de grande catégorie. Je me souvenais de triste mémoire de ce matin du mois de mai précédent, à l'arrêt de notre autobus de ramassage, où une poignée d'écervelés, une affreuse bande de quiconques, les mêmes qui dévoraient vif de l'Habéké et qui cassaient en vrac de l'immigrant, ont obligé notre Éric, sous peine de mort, à se vautrer tout habillé dans une flaque de boue et à hurler comme un porc. Mais Éric, désormais, ne serait plus l'ennemi de personne, ni l'ami par conséquent, vu qu'il avait déménagé en juillet pour un lieu inconnu, gardé secret par lui-même et sa famille, pour ne pas que le mauvais sort les suive et s'acharne par-dessus le temps et l'éloignement, mais, et je souffre de le dire et je sens mon cœur blessé qui pisse le sang dans mes entrailles, mais Éric et ses parents vivaient dans les nuages, car ce n'était pas une simple question de sort, mais plutôt une grave réponse d'inhumanité, et nulle part le pauvre Éric ne serait tranquillement heureux, car partout l'inhumain crachait en maître sur des minorités dans son genre, et ce qui le blesserait me blesserait éternellement, par-dessus l'éloignement et le temps, parce qu'un seul homme qui souffre c'est comme si tous les hommes souffraient, sans compter les femmes et les enfants d'abord, et je savais que toujours je pleurerais les pleurs de ces autres-là dont j'affectionnais le genre humain.

La lune était basse maintenant, elle descendait lentement sur l'horizon comme une âme un peu lasse, et les rails semblaient vouloir couler son reflet dans leur acier. La fatigue me faisait papilloter les paupières à moi aussi et je me suis allongé sur une traverse pour me reposer un peu, la tête sur un rail et les deux pieds sur l'autre parallèle. Dans l'air flottait la senteur d'un goudron qu'on nomme croésote ou créossote si je ne me trompe, et, tout autour de moi, dans les mares et les fossés, d'invisibles crapauds rotaient comiquement, et puis je voyais au loin, entre les rails, la lune qui brillait comme l'œil lumineux d'une locomotive.

C'est alors que j'ai eu une apparition.

Je ne sais pas si j'ai été fou un moment ou si j'ai été un jouet de l'imaginaire, mais je me rappelle avoir aperçu une sorte d'étrange forme humaine au cœur de l'œil lointain, mais peut-être aussi que je rêvais ou que j'hallucinais, mais il me semble pas, et, quand j'y repense comme il faut, je suis sûr de l'avoir bien vue, cette ombre, étant donné que je me possédais bien malgré la fatigue, et je jurerais avoir entrevu un petit spectre, au lointain, une silhouette noire qui marchait sur le chemin de fer arrosé de lune, et j'ai senti vivre l'épouvante comme des jets de sang glacé par toutes mes jambes et tout mon corps, et j'ai eu si peur que j'ai cru mourir, mais j'ai fui comme un zèbre je ne sais trop comment.

★

À la dernière extrémité de mon souffle de vie, enfin revenu dans ma rue sous les arbres surplombants, j'ai repris ma valise dans la haie, encore hanté et tout éberlué par ma vision effrayante, et c'est alors que j'ai vu, devant la demi-maison, l'auto de police qui stationnait. J'ai encore piétiné un peu dehors, histoire de retrouver l'haleine perdue sur les rails et de chasser de mes membres toute la peur accumulée en nœuds de nervosité, puis j'ai pris une profonde inspiration pour faire face à mon destin qui était d'ouvrir une porte sur des choses.

Quand j'ai mis le pied dans ma demi-maison, j'ai d'abord aperçu Pipo dans un coin, l'oreille basse et la queue entre les pattes, qui se rentrait le museau et qui me regardait craintivement par en dessous, et ensuite j'ai posé les yeux sur Claude dans le passage qui achevait d'expliquer nerveusement les événements à la paire de sergents à moustaches, puis sur Céline dans la cuisine au bout du couloir qui finissait de ramasser les éclats de verre avec son balai et son porte-poussière.

C'est ainsi que j'ai appris que des voyous avaient cassé la grande vitre de la cuisine d'un jet de pierre et j'ai essayé d'avoir l'air catastrophé.

D'un autre côté on aurait dit que je tombais bien dans cette soirée gâchée, et mon arrivée tardive a semblé distraire un peu l'assemblée pétrifiée par tant de vandalisme dans notre pauvre ville où rien n'était plus comme avant, avant que tout ne se mette à changer et que surgissent toutes ces têtes étranges, pleines d'idées mauvaises et de croyances absurdes venues d'ailleurs, mais heureusement que le vacarme n'avait pas réveillé Jasmine et Benjamin, ni la fournée de cousins et de cousines qui dormaient en haut. Sur ce, j'ai dû faire la tournée du salon où mes oncles et mes tantes voulaient vérifier si j'avais bien grandi comme on le racontait au téléphone. Le verdict est tombé sec : oui, je grandissais et je dépasserais bientôt toutes mes tantes, la belle affaire, mais je comprenais maintenant pourquoi personne n'avait jamais osé me dire que je ressemblais à ma mère ou à mon père.

Ce soir-là, dans mon lit retrouvé où Gustave Désuet dormait déjà à plat ventre sous mon oreiller, j'ai songé à l'Afrique et à ses scorpions qui grouillent sous les pierres. Les grands scorpions bruns, m'avait expliqué Habéké, sont un peu comme des espèces d'écrevisses terrestres et n'ont rien de mortel, mais les petits scorpions noirs sont une autre paire de manches, vu qu'ils portent les habits du camouflage et de l'hypocrisie et qu'ils ont dans le dernier anneau de la queue une ampoule à venin, qui est leur méchanceté à eux. Mais le plus incroyable est que les scorpions noirs, malgré leur toute-puissance, ont aussi la lâcheté dans le sang. Habéké m'avait expliqué qu'un tel scorpion prisonnier d'un cercle de flammes se piquerait lui-même et se tuerait au lieu d'affronter le danger et de mourir dignement. J'ai pensé que c'était sûrement la même chose avec les tantes, les oncles et tout ce qui bouge, comme Claude et Céline qui préféreraient sans doute s'enlever la vie plutôt que de faire face à mes vérités.

Je me disais que j'aurais pu asperger les murs de la maison avec toute l'essence de la tondeuse et y mettre le feu pour rire, mais surtout pour voir lesquels de mes supposés proches, ces petits scorpions noirs, se seraient tués plutôt que de braver mon incendie. Ç'aurait été une belle façon de mettre des visages sur les corps décapités de la traîtrise, mais je me suis endormi.

XI

Un étrange soleil malade et laiteux, comme un peu vidé de sa lumière d'été, une sorte de soleil bu, translucide comme l'ongle du pouce, avait ouvert son œil poché sur le premier matin de cette nouvelle année scolaire qui me désespérait tant, moi qui rêvais d'Afriques lointaines aux chemins de feu, et de notre île d'Exil sur la mer vierge; mais j'étais pas fou malgré mes tourments et je voyais bien qu'en réalité je vivais petitement ramassé au fond d'un trou et que je n'arrêtais pas de me demander ce que je fabriquais là, comme si j'avais perdu à jamais la lumière de ma vérité. J'avais l'impression que je n'étais plus l'être physique qui portait mon nom et qui avait mes yeux en amande, mais plutôt l'ombre triste et sans visage qui le talonnait. Mais il faut partir, que je me disais, il faut s'en aller, loin d'ici, à des nuits d'ici où rien ne ressemble plus à rien de l'univers connu, où nous referons le monde sans l'Accident, mais je vagabondais à côté de moi-même, et l'invisible, par ses liens de mystère, me retenait encore dans cette existence, un lourd invisible tout plombé dont je ne comprenais pas la nature, et, malgré que je voulais tout briser et tout éclater pour aller renaître de l'autre côté de la muraille des choses, mes jambes ne me portaient pas, et je sentais qu'au plus profond de moi je n'avais pas encore la force d'être ma liberté.

★

Je me souviens d'avoir ouvert au hasard le flori-lège de maximes et de réflexions de Gustave Désuet, intitulé *Fragments d'os*, comme je le faisais quasi-ment quotidiennement tous les jours, et ce matin-là je suis tombé sur une pensée trop dure pour ma com-prenure, mais que je voulais mettre au frais pour plus tard, pour quand je serais intelligent.

> *Les hommes de foi de l'Église des siècles ont raf-finé opiniâtrement, dans leurs patientes théolo-gies millénaires, l'étrangloir de l'autre grande intelligence du monde : Le doute.*

Je me demandais si c'était oui ou non une bonne chose et je me promettais d'en parler à mon futur professeur de religion.

Tandis que dans ma chambre je me creusais les méninges pour peu de fruits vu mon esprit modeste mais vissé à l'époque, Jasmine et Benjamin, eux, ne voyaient que le beau côté des choses dans leur bol de céréales et ils aimaient le monde tel qu'il se reflétait dans leurs souliers vernis, à cause que l'enfance rend aveugle, à la différence de l'amour qui rend la vue, mais ils sont tout pardonnés, frérot et sœurette : leur crime s'appelait l'innocence, et puis ils voulaient seu-lement devenir quelque chose plus tard, c'est tout ; Benjamin, égyptologue, et Jasmine, vétérinairette.

« Oui, vétérinairette ! On dit bien major et majorette, star et starlette, homme et omelette ! »

Elle n'était pas folle, la Jasmine, et Benjamin non plus de son côté ; les deux faisaient la paire de petits amours, et ils feraient aussi honneur à leurs parents, eux autres, ils seraient les beaux orgueils de la sainte famille !

Toujours est-il que les deux choux pomponnés et tout énervés couraillaient partout dans la maison, de la cave au grenier on aurait dit, à la recherche d'un étui à crayons, d'une chaussette, d'une brosse à cheveux, et Pipo tout étourdi aboyait pour rien dans l'escalier, ce qui m'a fait me lever debout en grimaçant, dans un saut de crapaud.

En dehors de ma chambre c'était la furie du retour à l'école, mais je me traînais les talons sur les tapis, comme si de rien. Mes pas sans passion ne voulaient me diriger nulle part.

Alors que Claude se préparait à reconduire les deux marmailles à l'école primaire, Céline a étrangement insisté pour me préparer mon déjeuner et je ne comprenais pas ce qu'elle signifiait. Je me souviens qu'elle avait l'air d'avoir avalé un parapluie sur sa chaise pendant que je mangeais mes œufs brouillés en silence, qu'elle n'en finissait plus de siroter son café froid ni de bredouiller des banalités au sujet de la nouvelle vitre et de la météo, tandis que moi j'étais dans le beurrier, à fixer du regard la motte de beurre toute picotée de miettes de toasts, mais j'ai fini par allumer et par reconnaître dans ces maladresses de mère le désir de me tirer du nez les souvenirs de mes vacances merveilleuses à la campagne, mais elle me prenait pour qui, au juste ? Je n'étais rien d'autre que

le saint-simoniaque de p'tit bâtard d'enfant d'chienne
tout craché, et c'est ainsi que pour avoir la paix j'ai
raconté à Céline des histoires stupides de veaux
humides fraîchement nés, de ciné-parcs, de guimauves et de chasses aux papillons. Et, tout en récitant
mes balivernes, je me disais qu'un homme averti du
scorpion vaut bien son venin.

Au moment de mon départ pour l'arrêt d'autobus, ma demi-mère m'a tendu ma boîte à lunch et
m'a embrassé sur les joues, mais j'ai rien dit, ni merci
ni bonne journée, et au premier tournant j'ai rouvert
la boîte pour jeter à la poubelle mes sandwichs au
jambon. J'ai pensé que, ce jour-là, Habéké me nour-
rirait de sa présence.

Sur le coin de rue, à l'arrêt de l'autobus de ramassage, j'ai tout de même senti un peu de bonheur me
chatouiller le cœur à la vue de tous les copains séparés par l'été, bronzés et grandis, comme moi j'imagine. Habéké se trouvait déjà là naturellement, harna-
ché de son cartable à bretelles que je lui enviais, avec
ses jambes phénoménales qui sortaient de bermudas
beiges que je ne connaissais pas, et ses longs bras maigres rehaussés d'une légère chemise blanche à manches courtes qui lui donnait une élégance. Il était tout
propre et tout beau et il sentait le savon, mais il
n'avait plus au poignet son bracelet magique à pluie,
ni au cou son collier de cornaline, et je savais que ses
parents adoptifs lui interdisaient désormais de porter
ces parures pour aller à l'école, mais dans un sourire
il m'a lancé : « Salut, mon noir ! » et nous nous sommes tapés d'amitié sur l'épaule malgré tout, les yeux
brillants de nos secrets et de nos rêves que personne
ne voyait, nos yeux remplis d'exil.

La Lucie Jolicœur était plantée là elle aussi, près de la borne-fontaine, la chouchoute tranquille et muette avec ses jolies barrettes en forme de koalas, avec sa robe bleu ciel, ses lunettes dorées et ses bas blancs, son sac d'école tout neuf qui sentait les souliers, et ses beaux souliers neufs qui sentaient le sac d'école. Son frère, Bruno, celui qui a le menton comme des petites fesses, avait déjà entrepris de nous assommer de toutes les blagues et les cochoncetés apprises durant l'été auprès de ses oncles, autour des barbecues et des piscines, et il avait une vraie mémoire d'éléphant, le pénible Bruno, pas moyen de lui enrayer le gramophone.

« Savez-vous quelle est la différence entre le char de mon parrain et les femmes ? »

On savait pas.

« Le char de mon parrain a un servofrein, mais les femmes ont un frein au cerveau ! »

On n'a pas ri de sa blague de beau-frère tiré par les cheveux, même pas nerveusement, et les filles l'ont traité de grand niaiseux, Bruno, ce qui s'explique vu la sensibilité du sexe féminin, et ce n'était tellement pas un compliment hors de leur bouche que j'ai remarqué que Lucie avait honte de son sang et j'ai compati au complet à son dégoût de famille.

Ensuite la grande Marie-France Bastien est arrivée avec son bras gauche plâtré du poignet jusqu'à l'épaule et tout gribouillé de pattes de mouche, la signature de toutes ses amies avec des baisers en forme de x, comme c'est la coutume dans nos contrées civilisées.

« J'ai tombé sur une roche en ski nautique à cinquante milles à l'heure, mais ç'aurait pu être pire, comme l'a dit mon cousin, parce que j'aurais pu me casser un ski. »

On a fait la queue pour autographier son plâtre au crayon-feutre et certains y ajoutaient des petits dessins, un soleil, des fleurs, un cœur. Sur ces entre-faites Benoît est apparu dans un grand coup de vent, en nous montrant un visage couvert de bleus, d'écor-chures et de coupures fraîchement faites, avec la lèvre boursouflée, toute cousue et toute hérissée de bouts de fils comme les noirs petits poils raides d'une vi-laine chenille; mais Benoît nous apportait aussi une histoire abracadabrante qu'il a racontée sans préam-bule, sans bonjour ni rien vu son bouillonnement, et on a appris qu'il avait eu un accident d'hydravion en Abitibi-Témiscamingue avec son grand-père accro-ché au manche à balai, et il détaillait si bien sa mé-saventure qu'on avait fait le cercle devant lui, pendus à sa lèvre crevée, pour savoir le dénouement de l'épi-sode, et qu'on buvait ses paroles de miraculé, et c'est comme si on avait été avec Benoît et son grand-père quand l'appareil a accroché des fils électriques et plongé en vrille dans le lac Cawasachouane, où les deux malheureux avaient été repêchés par une fa-mille d'Algonquins providentiels qui passait par là en canot.

« Chanceux ! » s'est exclamé le beau Alexandre qui jalousait le grand-père casse-cou de Benoît, son superbe accident d'hydravion et toutes ses blessures si esthétiques qui fascinaient les filles, « comment ça se fait que ça m'arrive jamais, à moi, des affaires de même ?... »

Là-dessus, le petit comique, et j'ai nommé Bruno, nous a poussé une autre sornette de son agaçante voix en mue qui me donnait toujours envie de me racler la gorge.

« Connaissez-vous le gars qui a cinq pénis ? »

On a tous haussé les épaules en même temps.

« Non ? Eh bien, laissez-moi vous dire que ses caleçons lui vont comme un gant ! »

Cette fois-ci on a bien ri, je veux dire surtout les garçons en toute connaissance devant les filles rougies de déplaisir, malgré qu'on le trouvait bête à manger du foin, Bruno, et ça lui a fait plaisir.

Pourtant dans l'ombre de la boîte aux lettres, un garçon ne riait pas de ce gag de barbecue, et c'était Jérôme, celui qui avait une mère de sexe masculin, et on comprend mieux l'effet de la cause sur les instincts affectifs, surtout quand on songe aux vers de terre et aux escargots hermaphrodisiaques ou quelque chose comme ça. Il paraît que la carence de la femme s'expliquait par une grave question d'identité des hormones, et les chirurgiens, pour lui sauver la vie dans un sens, avaient sculpté à la mère de Jérôme une sorte de pénis en chair mais sans os, avec des bouts de muscles découpés aux omoplates, vu les érections cruciales, et avec aussi du gras mou des cuisses réinjecté sous le cutané pour enrober un peu mieux l'organe et lui donner une texture acceptable à l'œil nu, et une tenue et un diamètre corrects ; et depuis lors la mère de Jérôme avait beaucoup changé, dans son corps comme dans son âme transmigrée, et elle vivait maintenant heureuse aux environs de Sainte-Émélie-de-l'Énergie, avec une épouse à combler cette fois-ci, pour atteindre des harmonies et des ciels. Quant au vrai père de Jérôme, je veux dire l'homme masculin du couple, il songeait par découragement à prêter son corps à la science dévoreuse pour une expérience de greffe d'embryon dans son ventre peu propice à première vue, drôle d'idée inspirée des hippocampes où les mâles se mêlent de la gestation, dans l'illusion de reconquérir son ancienne épouse métamorphosée, et Jérôme nous a raconté tout ça sans pathologie et sans obscénité, vu que c'était un jeune homme délicat et tout empli de vergogne.

Près de nous mais un peu plus loin de nous s'agglutinait un groupe des plus vieux de l'école polyvalente, et, quand ils se sont sentis assez nombreux pour être courageux, ils ont eu l'idée de nous humilier comme à l'accoutumée. Il y en a un qui a gueulé vers nous :

« Hé ! Chose-Béké !… Je t'ai vu cet été, au zoo de Granby ! »

J'ai serré les dents en même temps qu'Habéké parce qu'on s'habitue pas.

L'instant d'après, un autre secondaire-cinq a éructé à Habéké :

« Moi, c'est toute ta famille que j'ai vue au Parc Safari africain ! Ils mangeaient des bananes dans un arbre ! »

À ces mots-là qui lui sont rentrés dans le cœur comme une couronne d'épines, Habéké s'est penché, comme frappé au ventre et sans souffle vital, et je l'ai vu défaire les pourtant solides boucles de ses souliers pour ensuite nouer de nouveau les lacets, lentement mais avec les doigts tremblants, en ravalant sa haine comme il le pouvait, pour occuper ses mains qui voulaient étrangler.

« Hé ! le Chinois ! »

Tiens, cette vacherie-là, elle était pour moi.

« Hé ! le tchinetoque !... As-tu bouffé ton p'tit maudit chien cet été ?... »

Sur ce, le gros autobus jaune a tourné le coin dans un rugissement mécanique et s'est immobilisé devant nous dans un nuage de poussière et de fumée. Nous sommes montés à bord après les tarés qui sont tous allés s'asseoir au fond pour mariner dans leurs ordures. Moi, je me suis assis avec Habéké qui était encore tout heurté, sans mots et sans défense cette fois-ci, et qui essayait de se dominer de toutes ses forces silencieuses, car parler lui aurait trop coûté.

Tout à coup, comme l'autobus allait redémarrer, on a vu une fille s'amener en courant au milieu de la rue, avec de longs cheveux noirs en crinière dans le vent, avec son sac d'école qui papillonnait en l'air comme un cerf-volant, et elle faisait de grands signes au chauffeur.

« Hé ! Attendez, m'sieur, a crié Marie-France Bastien, il y a une fille, là, qui s'en vient ! »

Le chauffeur a rouvert les portières et c'est ainsi qu'Odile est entrée dans notre vie et nous est tombée dans les yeux, Odile et son beau grand O majuscule, comme dans : Ô Odile de mon silence et de mon secret ! Mais nous ne savions pas encore vraiment qui elle deviendrait pour nous.

La première fois qu'on l'a vue, c'était une fille qu'on n'avait jamais vue nulle part et pas même en rêve, une nouvelle venue surgie dans l'été quand on a le dos tourné, éclose en secret dans un jardin caché on ne savait pas trop dans quelle rue, une fille toute en gestes et en resplendissements que je me disais ; mais non pas tant une fille qu'un souffle de vent qui me rendait tout chose et tout stupide, un porte-bonheur avec un nez, avec des yeux, une bouche, mais pas n'importe lesquels, mais le nez sauvage d'une reine d'Égypte, une bouche framboisée sur de la dent de faïence, des pommettes de petite peste sans-gêne et de beaux grands yeux d'agnelle dans un teint de lait, des yeux pleins d'une nuit profonde, avec une étoile du Nord au fond, et je lui sentais un cœur d'or lui battre jusqu'au bout des cils, et mon cœur à moi battait jusqu'au bout de mes doigts quand elle s'est glissée sur la banquette tout essouf-flée devant nous, avec Marie-France et son plâtre qui se connaissaient.

« Ouf! J'ai failli la manquer! Je savais pas c'était où, la môzusse d'arrêt! »

J'ai regardé Habéké qui m'a regardé le regarder me regarder, et nos regards se sont compris comme des vieux amis qu'on espérait bien devenir un jour. Sur ce, on a un peu penché par en avant, magnétisés en chœur, et j'ai osé baragouiner n'importe quoi.

« Euh… salut… euh… est-ce que tu t'appelles comment?

– Oui, je m'appelle Comment! Comment Tul-sais, et pas Comment Sava! »

Les deux filles ont pouffé sous nos yeux alarmés et Habéké m'a lancé un regard sombre sous un noir froncement de sourcils, mais j'avais fait de mon mieux et je le lui ai dit dans un haussement d'épaules et une grimace d'innocence.

« Et toi? qu'elle m'a demandé la nouvelle. Je sup-pose que tu t'appelles Pourquoi!

– Pourquoi Pas! s'est écriée Marie-France en essuyant des larmes de rire, et son ami assis à côté de lui, a-t-elle ajouté, il s'appelle Où ! Où Béké Où Ksoum ! »

Habéké et moi, on avait compris le message un peu baveux et on s'est enfoncés jusqu'aux oreilles dans l'indépendance pour bouillir en silence, mais on entendait Marie-France Bastien qui déraillait sérieusement devant nous.

« Elle s'appelle Kroukou ! ... Oh ! oh ! ... La Kroukoudile ! ... Dile piqûle ! ... »

Mais, au moins, que je me disais, au moins, dans cette défrise où il était tombé avec moi, Habéké avait oublié les grands arriérés du fond infecté de l'autobus.

« Elle sera jamais dans vos classes, les gars », nous a soudainement lancé Marie-France en surgissant au-dessus de la banquette lacérée, le visage tordu par le méchant plaisir de nous briser le cœur, « elle est plus vieille que vous autres, tant pis pour vous, ha ! ha ! vous aviez juste à venir au monde plus de bonne heure que ça, grands paresseux ! »

★

C'est le soir seulement, sur le chemin du retour, le soir du premier jour dans l'autobus de ramassage, que la nouvelle venue a bien voulu nous parler normalement, comme à des gens normaux, et nous avons appris qu'elle habitait dans la rue Lanthier, après l'aréna, l'ancienne maison de notre ami Éric parti sous d'autres cieux cruels.

« Moi aussi j'étais nouveau ici l'an passé, a dit Habéké. J'y ai goûté d'aplomb, si tu vois ce que je veux dire, mais là je suis moins neuf, on m'oublie un peu dans mon coin, des fois. »

La vérité est qu'Habéké y goûtait encore pas mal d'aplomb, mais je n'ai pas voulu lui tourner le fer dans la plaie.

« En tout cas, je m'appelle Habéké Axoum.

– Et moi, que j'ai dit, et moi, c'est Thugues.

– Tugue ?

– Non, euh… Hugues je veux dire, euh… sans la liaison que j'ai faite malgré moi… à cause de… de ma langue fourchue… »

Je pensais qu'elle nous aimait bien.

« Moi, je m'appelle Odile. »

On s'est serré un peu la main qu'elle avait unique et veloutée, avec des ongles nacrés d'un vernis de perle, qui m'ont fait songer aux coquilles d'huître du chalet.

« Est-ce que ça veut dire qu'on va beaucoup rire de moi ?

– Je pense pas, que je l'ai rassurée, fais-toi-z'en pas avec des affaires de même. T'as la chance d'être une fille, pis les filles c'est pas comme tout le monde, vu l'amour maternel.

– Ah…

– Mais surtout, a dit Habéké, surtout t'es pas noire, et ça va beaucoup t'aider à passer inaperçue, parce que c'est ce que tu veux, j'imagine.

– Euh… j'imagine, oui… »

Elle n'était plus sûre de rien.

« Moi en tout cas, a dit Habéké, ç'a longtemps été mon grand rêve, ça, passer inaperçu, comme Éric qui restait où tu restes, mais il paraît que les personnes qui passent toujours inaperçues dans la vie ne sont pas plus heureuses, alors, pourquoi pleurer pour rien ? Il faut rester dur, dur comme la roche… »

Le regard de la pauvre Odile se voilait d'incompréhension et je suis arrivé à la rescousse.

« Oui, euh… Habéké veut parler de l'âme, oui, la roche dure de l'âme qui fait qu'on reste quelqu'un, comme un roi dans soi-même, et qu'on peut avec d'autres âmes signer des conventions de Genève ou des choses comme ça.

– Mais de quoi vous parlez ?… Je comprends rien de ce que vous me dites !…

– Ben… on parle de naître comme il faut, de bien venir au bon monde pour être heureux peut-être, de naître d'une mère fertile en émotions et d'un facteur déterminant, comme l'a dit Gustave Désuet.

– Qui ?… Gustave qui ?… Un de vos amis ?…

– Non, que j'ai dit, c'est le poète qu'on a toujours pour dîner le midi, qu'on aime comme un frère et qui est mort jeune, mais attends un peu… »

Là-dessus, j'ai ouvert ma boîte à lunch pour lui montrer qu'on se moquait pas d'elle mais qu'on voulait sincèrement l'inclure dans notre humble durée, mais son idée avait déjà mûri et elle a bondi s'asseoir plus loin, et pas avec n'importe qui, avec Alexandre, le beau Alexandre qui avait son âge et son style, et on voyait bien, dans la raideur de sa nuque et la sécheresse de ses yeux, qu'on l'avait quelque peu blasphémée, mais pourtant on avait été sérieux à profusion, comme deux petits papes, ou plutôt comme un pape et ce qui s'appelle un négus, mais on n'était pas un succès foudroyant, faut l'avouer.

« Elle a du chien, la petite délurée du bon yeu… »

Ébahi de l'avoir vue s'enfuir avec tant d'enthousiasme pour un inconnu que je connaissais depuis toujours, je tenais bêtement le livre de

Gustave sur mes genoux, *Vies rêvées,* et, quand j'ai eu
ramassé tous mes esprits éparpillés, je l'ai ouvert quand
même au hasard, juste pour voir, avant de le renfiler
dans ma boîte à lunch, et je suis tombé sur un poème
que j'ai lu, ou plutôt que j'ai relu, vu que je l'avais lu
cent fois, puis que j'ai fait lire à Habéké.

> *Ô ma vie de chagrin! ô ma désolation!*
>
> *Je hante mon corps tué*
> *dans ce désastreux aujourd'hui advenu dans les cris*
> *où l'histoire n'est plus une espérance,*
> *mais une fatalité retrouvée,*
> *et voilà que s'éteignent mon feu et mon âme.*
>
> *Ô mal de feu! ô rage d'entrailles!*
>
> *J'aurai vu que le sexe des femmes est un songe*
> *où le mourant croise l'enfant qu'il fut,*
> *la mère qui l'enfanta,*
> *et toute la souffrance des siècles*
> *ramenée dans le sexe larmoyant du père.*
>
> *Ô ma miséricorde! ô douleur des hommes!*
>
> *Dans la mort ils emportent*
> *tout le mal qu'ils ont fait*
> *et l'égoïste gland*
> *de leur verge affolée,*
> *tête couronnée de leur monothéisme.*

J'avoue que, ce poème-là, nous ne le compre-
nions pas beaucoup, mais nous en aimions les mots
qui tombaient bien, il nous semblait, comme le sup-
plice de la goutte d'eau. Mais un jour, qu'on se disait,

un bon jour, nous le comprendrions, c'était certain, et nous avions hâte.

★

Comme Habéké et moi on s'est retrouvés tout seuls au fond de la banquette qui pousse aux confessions, j'ai décidé, après avoir bien réfléchi aux conséquences psychiques et après avoir maintes fois mordu ma langue par prévenance, j'ai décidé de lui parler de la vision qui m'avait embrassé les yeux sur la voie ferrée.

« Écoute… tu vas sûrement dire que je suis malade ou dérangé, mais… mais je pense que je l'ai vu…

– Quoi ? Qu'est-ce que t'as vu ? Où, ça ?

– Dimanche, quand vous m'avez laissé devant chez nous, eh bien je suis pas rentré tout de suite, non, mais je suis allé marcher sur le chemin de fer où tu vas souvent te perdre, le soir, vers le nord, et là… au loin dans la nuit… comme noyée dans la lumière de la lune qui se couchait entre les rails… j'ai vu… j'ai vu comme une silhouette… une ombre qui marchait on aurait dit… et je me demande si ce serait pas comme un fantôme… peut-être le fantôme vagabond de ton arrière-grand-père… »

J'avais eu peur de parler à Habéké, de lui apprendre la vérité de mon apparition, au cas où ça l'aurait tué, vu que je croyais que ça pouvait peut-être le tuer, à cause de l'importance vitale et du choc des épiphanies, et puis je me demandais encore si je n'avais pas la bouilloire fêlée, ou si je n'avais pas rêvé, là-bas, dans la nuit lunaire, sur la voie ferrée,

mais finalement je lui ai dit tout ce que j'avais vu
dans les ténèbres et Habéké m'a semblé s'affaisser à
côté de moi, tout assommé d'époustoufle, comme
crevé, et il n'a plus rien dit du voyage ; et je voyais les
maisons de notre petite ville qui glissaient dans les
vitres de l'autobus comme des îles détachées du fond,
entraînées au fil du temps qui passe, derrière la figure
brûlée d'Habéké, sa tête de nuit sur le fond aveuglant
du jour ; et puis je voyais, un peu devant nous, Odile
qui riait avec Alexandre, mais je voyais remuer leurs
lèvres sans rien comprendre, j'étais comme sourd
tout à coup, et je voyais les cheveux d'Odile, si noirs
qu'ils viraient au bleu dans la lumière du jour, nat-
tés en une longue tresse, une réglisse interminable,
et c'était comme un rêve, et je baignais dans une
transparence, la transparence du monde où parfois
nous ne nous sentons plus qu'un voile qui n'appar-
tient à personne, et, ce soir-là, dans l'autobus, parmi
tous mes camarades vaporeux et à côté d'Habéké
dont je sentais l'épaule effleurer mon épaule, pour un
petit éclat de moment, je me suis vu vieillir.

XII

Tous les soirs des premières semaines d'école, quand je me retrouvais tout roulé en boule chaude dans mes couvertures douces et dans les replis de mes secrets, avec les yeux immensément ouverts dans la nuit, je voyais Odile flotter au-dessus de moi dans sa lueur d'or et je comprenais en la voyant que jamais avant elle je n'avais osé placer une fille à la hauteur de cette lumière, que je n'avais jamais vu d'une fille ce que j'en voyais maintenant dans les ténèbres de ma chambre, et, malgré qu'elle était un brin plus vieille qu'Habéké et moi, elle ne l'était pas énormément plus, ce qui faisait qu'elle luisait juste au bout de nos doigts, à l'extrême extrémité de nous-mêmes qu'on pourrait dire, où nous sommes encore possibles, là où finissent nos vœux mais où commence une paix, et Odile était un rare monde sacré qu'on pouvait espérer toucher ; et puis elle ne montrait pas de la femme que des bourgeonnements, mais aussi des aboutissements et des mystères complets que les filles de notre âge n'offraient pas encore, ou que je n'avais jamais remarqués. Et quand je voyais Odile pour de vrai, je veux dire dans la rue, dans l'autobus ou à l'école, je devinais en silence toutes ses formes physiques

surnaturelles, comme si mes regards vieillis avaient
percé ses vêtements d'un rayon miraculeux et que
mes yeux glissaient comme des nuages sur sa peau
secrète; mais ça me gênait terriblement et je rougis-
sais de tant la voir, vu que jamais avant elle je n'avais
osé m'aventurer si loin dans une fille, pas même dans
les femmes toutes faites et parfaites depuis longtemps, je veux dire les femmes mariées ou les promi-
ses qui sont des femmes achevées dans les rues ou au
magasin, et pas même dans les vraies femmes toutes
nues et écarquillées que parfois un copain nous montrait dans des magazines, comme si à la surface des
femmes trop nues je ne voyais plus la nudité et que je
m'ennuyais, comme si je ne voyais plus l'invisible qui
me manquait, ou que cette nudité restait inhabitée et
que mes regards la transperçaient sans vivre, sans
frapper le nœud de l'être ou l'épaisseur d'une âme, vu
qu'au fin fond de la nudité je cherchais le monde et
son frisson, je veux dire la vie sans me vanter, et c'est
pourquoi la nudité invisible d'Odile me brûlait les
yeux, parce que le monde s'y était tout entier blotti,
compris en elle et ses pensées, avec son nœud et son
épaisseur, avec son tremblement et sa flamme, et ce
que je voyais me troublait beaucoup, comme à la
messe, étant plus petit, où je voyais vraiment le
Christ dans l'hostie, et l'Esprit saint dans les hauteurs
de l'église, mais en même temps mon cœur apprenait
à vivre de ces adorations et je me sentais des chaleurs
me naître pour elle tout au creux de mes bras et de
mon épaule, tout au fond de mon être et jusqu'au
petit bout sensible de mes doigts et de mes lèvres; et
dans ma folie je pensais que quelque chose comme
l'amour m'avait peut-être visité, peut-être un pur

amour vrai qu'on entendait parler dans la rue, un soleil sans tache, mais je pouvais pas savoir vu l'ignorance de mon âge et de ma nouveauté sentimentale; et, quand des fois la nuit je me voyais toucher délicatement Odile, j'étais quelqu'un de délicieux que je n'avais encore jamais connu, les mains pleines de caresses vivantes, et j'étais si envahi que je me faisais très peur, vu que j'étais peut-être malade, ou fou; et dans la nuit je voyais Odile couchée dans mon lit, tout contre moi, et si près que son souffle m'arrosait la joue de fines gouttelettes d'elle-même, et dans mon rêve tout était si simple que je connaissais le bonheur, qui était un dieu de bonté agenouillé à mon chevet, et que je savais exactement quoi faire pour elle, je veux dire pour que son âme connaisse enfin la joie d'avoir un corps de toute jeune femme.

Ces soirs-là, je me sentais si troublé que je téléphonais chez Habéké à des heures impossibles et je convainquais madame Godin d'aller le tirer du lit parce que c'était grave, et je finissais par entendre sa voix ensommeillée, la voix de mon ami qui me remettait le cœur en place.

« Allô, Habéké... Je suis malade... »

Et je lui racontais ce que j'avais vu dans la noirceur de ma chambre, toutes les apparitions qui m'avaient ébloui, et Habéké m'écoutait sans rien dire, mais je sais qu'il voyait tournoyer des fétiches dans le ciel de sa tête et qu'il comprenait la majesté d'Odile.

XIII

Le vendredi soir, au bout des trois premières semaines d'école longues comme trois éternités, Habéké et moi, liés par tous nos rêves et nos secrets, nous avons enfin pu préparer, dans notre fièvre de frères de sang, le nouveau périple que nous nous étions promis dans le songe profond de l'Afrique, au-delà des cornes somaliennes, des mers Rouges et des côtes d'Ivoire, et nous avons beaucoup parlé de la vie en ficelant nos bagages à nos barouettes à ridelles, ces voiturettes des livreurs de journaux attachées à nos bicycles et qui nous suivraient dans les sentiers poudreux des territoires du Nord.

« As-tu la tente ?

– J'ai tout ce qu'il faut, sauf une lampe de poche et des cannes de ragoût. »

On se demandait bien ce qu'on découvrirait de l'autre côté de l'horizon fabuleux et je me souviens qu'on avait les jambes toutes parcourues de picotements de fourmis chaudes. Malgré que ce n'était plus tellement dans l'air du monde, on osait croire encore aux miracles, parce que le miracle, dans le fond, c'est peut-être une sorte de nationalité, qu'on se disait, et qu'il suffit peut-être de le vouloir très fort pour l'être, je veux dire qu'il suffit peut-être d'espérer assez le miracle pour le tirer de l'invisible où il flotte parmi tout ce qu'on souhaite, pour l'attirer dans la lumière et le faire exister tout simplement, comme tout ce qui existe. Et ce miracle serait peut-être l'Afrique, qu'on se disait, la vraie de vraie, celle qui sent l'huile à lampe, la poudre à fusil et la vanille des fleurs de café, avec ses troupeaux et ses puits, avec ses savanes et ses fauves, mais aussi avec ses peuples, ses esprits et ses tatagu kononi réincarnés dans Mekkonen le dedjené, l'arrière-grand-père magique d'Habéké.

« Il nous faudrait du chou puant contre la coqueluche et le bouton d'Orient... et du beurre suri pour les plaies... et de l'herbe aux ânes contre le choléra... »

Et, vu que des lions menaçaient de nous naître du ciel pour nous dévorer vifs, nous avions songé à une sorte d'armure pour garder la vie bien au chaud en nous.

« As-tu ton équipement de gardien de but ?
– Oui, oui. »

Ce soir-là, fin prêts dans l'attente du grand matin ensoleillé, nous avons longuement déambulé dans les sombres rues tranquilles de notre petite ville endormeuse, sous un ciel tout givré de belles étoiles de perlimpinpin, et nous arrêtions toutes nos pensées sur les maisons, les autos, les rares promeneurs murmurants, les rayons bleus des téléviseurs qui éclairaient tristement les salons, et nous regardions gravement le monde, comme si nous n'allions jamais revenir vivants des hauts plateaux d'Ityopya.

Dans notre peau d'hommes menacés, on se sentait tout saucissonnés dans nos absolus, vu l'impossibilité humaine d'échapper à sa destinée qui est écrite quelque part en lettres de flammes, dans un livre brûlant qu'on ne peut lire que lorsqu'il est fini et refroidi, et on a fait une boucle par la rue Lanthier où notre cœur bondissant nous menait par le bout du nez, où on était mortellement hypnotisés par une certaine maison pas comme les autres, où brillait la fenêtre d'une chambre où Odile était dans nos yeux un pétillement de lumière.

« On pourrait peut-être aller frapper à sa porte, qu'il m'a dit Habéké, ou gratter à sa fenêtre pour lui dire qu'on pense beaucoup à elle.

– Je sais pas... On dirait que j'ai peur de lui parler astheure que j'y pense trop... »

On est restés un peu longtemps dans la nuit immobile, plantés comme deux pruniers à côté de la vie, et puis, après avoir adoré la lumière, on a décidé de rentrer à la maison les mains vides, sans rien de vrai d'Odile qu'un rêve invivable.

★

J'ai affreusement mal dormi cette nuit-là et j'ai passé mon temps à tournailler dans mes couvertures comme un ver à laitue, à faire des cauchemars sans queue ni tête. Je sais pas ce que j'avais, comme un malaise de végéter entre deux peaux, ni vraiment dans l'une ni vraiment dans l'autre, en même temps étranglé par une petitesse et perdu dans une immensité qui ne voulait pas me dire son nom. Mais à mon réveil j'allais un peu mieux à cause que c'était un jour nouveau et qu'un rayonnant soleil de septembre, capturé dans mes légers rideaux de tulle, chauffait mon visage sur un coin d'oreiller.

Chez nous tout le monde dormait à pleins poumons, même Pipo dans son panier matelassé, et j'ai déjeuné de yogourt et de bananes avant de quitter sans bruit la maison sur mon bicycle Mustang. J'avais laissé un mot sur la table qui disait que je dormirais chez Habéké ce soir-là, de même Habéké sur sa table à lui qui dormirait chez nous, et tout le monde croirait qu'on dormirait chez l'autrui alors qu'en réalité on rêverait sous la belle étoile de l'inconnu, et c'est ce qu'on appelle une méchante belle entourloupette. Et c'est ainsi que je suis allé retrouver Habéké qui m'attendait comme une moitié dans la rue devant chez lui, et de loin j'aurais juré un cavalier qui chevauchait sa monture harnachée comme moi de sa barouette.

« On a-t'y tout ?

– J'pense qu'on a tout.

– Go.

– Allons-y, Alonzo. »

On a donné nos premiers grands tours de moulinette en direction de la voie ferrée, mais en chemin on a eu une dernière faiblesse humaine, comme la dernière volonté des condamnés à vivre, et on a encore une fois décidé de dévier de notre course dans la rue Lanthier, parce que c'est toujours comme ça quand on a une fille dans le sang, je veux dire qu'on est toujours une faiblesse où qu'on aille et quoi qu'on fasse, et tout à coup on a eu la surprise de nos vies : Odile était dehors en chair et en os ! Mes jambes m'ont manqué tout d'un coup et j'ai failli lâcher les poignées et m'aplatir à terre, et Habéké tel que moi, puis j'ai senti des sueurs glacées me ruisseler dans le dos et me mouiller les mains.

Assise tranquille dans le petit matin avec ses longs cheveux noirs tout étalés sur ses épaules en un flot d'accroche-cœurs, accoudée sur ses genoux sur l'étroit balcon de ciment de sa maison, Odile surveillait les jeux de deux enfants qui poussaient des camions et faisaient vivre des poupées dans le gazon. Elle a relevé le menton et on l'a vue mettre une main en pare-soleil devant ses yeux pour mieux nous reconnaître, nous qui venions de tourner le coin rond pour enfiler sa rue. Ensuite on a vu Odile se lever debout pour s'avancer vers nous qui approchions.

« Hé ! Que c'est que vous faites là ? Où c'est que vous allez de même ? »

On a pas eu le choix de pas s'arrêter malgré que le cœur nous débattait et que le jus de boudin nous tournait en eau.

« Salut, qu'a dit Habéké, qu'est-ce que tu fais debout si de bonne heure ?

– Je garde Philippe et Marilou. »

C'était ses frère et sœur, il n'y avait aucun doute sur l'origine des espèces, ils avaient tous les trois les mêmes yeux plus grands que la pensée, et un air de famille qui leur flottait sur le visage comme une énigme.

« Que c'est que vous tirez dans vos barouettes ?

– Nos bagages, a répondu Habéké.

– Vos bagages ? Partez-vous en voyage ? »

On ne voulait pas trop divulguer nos grands mystères vu qu'il était encore trop tôt, ça fait qu'on n'a rien osé répondre, mais Odile s'est mise à tourner autour de nos barouettes en reniflant toutes nos affaires, avec Marilou et Philippe collés aux trousses, les deux puces aux prunelles brillantes et à la bouche bée, et tout à coup la fureteuse Odile, courbée sur nos choses, a posé l'œil sur ce que je n'espérais justement pas.

« Hein ! Des épées ! Vous emportez des épées ! »

Eh oui, nous emportions deux belles longues épées de bois bien pointues que j'avais rangées depuis longtemps dans un coin du garage, mais que j'avais ressorties pour notre dangereuse traversée du monde inconnu.

« Allez-vous affronter des dragons ? »

Elle avait beau rire, on était plus sérieux qu'on en avait l'air, mais comment pouvions-nous dans un pauvre souffle d'homme lui avouer l'immense avalanche des secrets de toute une vie ? On ne pouvait le faire que très mal, c'est entendu, mais il fallait le faire à tout prix, vu l'espérance qui nous travaillait et nous faisait vivre ; et c'est moi qui ai commencé malgré moi et mes paroles ont surgi toutes seules dans une gerbe étrange, comme nées d'un bouillonnement caché, et prononcées par celui meilleur que moi que parfois je suis sans le vouloir, et c'est comme ça que sur le bord du trottoir, ce samedi matin de notre envolée dans les hauts mondes, j'ai fait à Odile le premier portrait de nos naissances de maudits bâtards et de nos vies impossibles ; puis j'ai glissé sans joie vers la sécheresse initiale d'Habéké qui ne pouvait pas parler lui-même vu le serrement de cœur, et j'ai parlé de la guerre des génocides qui se répètent comme le refrain désespéré des hommes, et de la mort épouvantable de tous les siens qu'Habéké a vue de ses yeux vue, et de l'insecte miraculeux qui boit le soir sur la dune et qui a sauvé une vie d'enfant, et de tout l'arrachement humain d'Habéké au royaume de son sang douloureux, puis de son échouement par-dessus les océans dans nos pays d'Accident où, armés des poèmes de Gustave Désuet, le feu poète de feu qui nous éduquait si bien, nous voulions changer le monde, avec une parenthèse sur la plomberie masculine et les Grands Lacs féminins, sur aussi les attestations et les certificats gouvernementaux de satisfaction médicale et hygiénique sans lesquels Habéké aurait tout aussi bien pu crever comme une charogne dans ses terres dévastées, vu que les enfants défectueux des pays pauvres, dans leur maigreur de cadavre, pèsent moins lourd que le portefeuille des Accidentaux, ce qui devrait peut-être apprendre à tous ces petits lépreux à ne pas exister quand on les regarde, ce qui soulagerait tout le monde. Voyant qu'Odile m'écoutait de toute sa personne avec ses grands yeux ouverts sur nos mondes réels, je lui ai aussi un peu dit ma naissance répugnante qui avait dégoûté des inconnus, mon abandon dans le panier de supermarché au milieu des quenouilles et des roseaux, mes yeux en amande dont j'irais un jour chercher les pères jusqu'en Chine ; puis j'ai conté la vie rêvée que nous portions en nous comme on porterait des enfants endormis dans une nuit des plus pures, et j'ai révélé nos épousailles dans les broussailles pleines de flammes et de prières chantées, les broussailles toutes vibrantes de cérémonies nuptiales et de promesses de fidélité éternelle, et je lui ai expliqué ce que c'était que des tatagu kononi rayonnants et des balanza sacrés, et pourquoi les peupliers et les rouges-gorges sont aussi des totems dans nos yeux ; puis j'ai dit notre folie d'aller peupler l'île de nos croyances et d'y planter l'arbre de vie qui prendrait racine loin de l'hypocrisie et de l'ère adulte ; et notre espoir de fonder, dans ces nouveaux pays d'Exil, une belle ethnie de p'tits saint-simoniaque d'enfants d'chienne.

« Parce que l'Apocalypse a déjà explosé le monde, que j'ai encore dit, et que des pourritures ont revolé jusque dans nos oncles qui crachent sur tout ce qui bouge et dans les chiens sales qui s'assoient au fond des autobus scolaires... »

Quand j'ai eu fini, on aurait dit qu'Odile avait changé. Elle pressait ses petits mousses tout contre elle et nous regardait avec son visage plissé, vu qu'elle avait le soleil dans les yeux, et je me demande de quoi on avait l'air, Habéké et moi, debout dans les rayons dorés de ce frais matin de septembre, nos Mustang entre nos pattes, traînant des barouettes chargées de bagages, de cannes de ragoût et d'épées de chevaliers, parlant d'Apocalypse, d'Afrique fraternelle, d'enfants d'chienne, d'exil mythique et d'ethnie nouvelle à une fille qui nous connaissait presque pas.

C'est alors qu'Habéké a brisé son silence pour demander gentiment à Odile si elle ne pouvait pas nous prêter une photo d'elle-même, pour nous donner du courage en cas de malheur, vu qu'on partait pour une sorte de bout du monde et qu'il risquait de nous arriver des choses, et peut-être même qu'on allait courir de grands périls dans la gueule du loup.

« Mais... je comprends pas encore bien où vous allez...

— On va rouler le plus loin possible vers le nord, que j'ai dit, sur le sentier de la voie ferrée qui grimpe dans les montagnes où ce soir on va dormir en pleine forêt, mais on sait pas trop ce qu'on va découvrir par là-bas, mais on espère trouver des preuves de l'arrière-grand-père d'Habéké. »

À ces mots, Odile a tourné ses grands yeux sombres vers Habéké qui a dit :

« Oui, c'est vrai, je suis sûr que son esprit vivant n'est pas loin d'ici, je le sens, sans arrêt, jour et nuit, mais je le sens perdu, à ma recherche dans le monde, pour ramener mon esprit dans le cercle de mon clan et de mon peuple, parce que, pour eux, mon esprit a été enlevé par l'esprit des fléaux, et ils sont tous malheureux dans leur mort, là-bas, et ils ont envoyé l'ancêtre Mekkonen pour me retrouver et pour apaiser mon esprit, et après seulement ils retrouveront la paix et pourront veiller sur la vie de ceux qui ont survécu là-bas et qui sont nés après moi, mais tant que tous les esprits enfuis comme des cabris n'auront pas été ramenés dans les ciels natals par les dedjené, ceux qui sont restés et ceux qui sont apparus auront une mauvaise vie, et des chasses difficiles, et des récoltes désastreuses, et des enfants mort-nés, et les maladies seront toutes après eux comme les fièvres, les lèpres, la diphtérie et l'aveuglement des rivières... »

Ensuite de quoi, Habéké et moi on s'est tus, vu qu'on avait tout dit, et on est restés là à regarder Odile qui nous regardait, à sourire au petit frère et à la petite sœur qui avaient bu toutes nos histoires sans bouger et qui nous regardaient maintenant de leurs beaux yeux tout agrandis.

« Bon, que j'ai fini par dire tout bas, eh ben... il va falloir qu'on y aille, nous autres...

– Non, attendez un petit peu », qu'elle a dit doucement, Odile, et elle nous a laissé les enfants pour aller chercher quelque chose dans sa maison.

Le petit Philippe, qui nous dévisageait depuis notre arrivée, a osé délier sa langue.

« Allez-vous vous batte pou vrai conte des monsses ec les zépées ? »

J'ai dit oui et il nous a montré un visage tout catastrophé.

« Voulez-vous venir avec nous autres ? que je leur ai demandé pour rire. On a de la place dans les barouettes...

– Non ! qu'elle a crié la petite Marilou dans un frisson de terreur, j'veux pas y aller, moi, j'veux rester ici avec Odile ! »

Là-dessus Odile a reparu sur le balcon de ciment pour dévaler le petit talus de gazon et s'amener vers nous en courant, et moi je n'osais plus regarder sa beauté qui me tuait, mais j'ai tout de même vu dans le creux de sa main, dans la serre de ses doigts, une petite tête à l'envers : une photographie d'elle qu'elle a donnée à Habéké.

« Faites un bon voyage, qu'elle nous a dit d'une voix de grande amie, et soyez vraiment très prudents. »

On l'a quittée tout muets et les enfants au visage blême d'inquiétude nous ont fait au revoir de la main, mais on avait une photo pour l'espérance de vie, et la musique d'une voix pour nous réconforter, et puis on a roulé en grand silence jusqu'à la voie ferrée, à cause qu'on s'apprêtait à entrer dans une vérité.

★

On a escaladé le ballast d'un viaduc à côté de nos bicycles et je me souviens que les pierres concassées déchiraient nos souliers, puis on s'est élancés sur l'étroit sentier qui bordait la voie tout du long, et, après avoir traversé des champs de cierges de notre-dame et des friches plantées de hauts pylônes, où on voyait sur nos têtes pendre les fils électriques qui luisaient au soleil, on a abouti dans la zone industrielle, entre les voies de triage où rouillaient des wagons rouge brique du Canadien National.

« C'est pas loin d'ici que je l'ai vu l'autre soir, que j'ai dit à Habéké, il marchait là-bas, plus loin… »

Dans notre équipée il arrivait qu'une barouette capote à cause des cahots ou des trous de marmottes, et parfois on coupait le sifflet aux automobilistes, aux passages à niveau, et les gens s'éberluaient de nous voir tracer par les terrains vagues de tels chemins de poussière. Finalement la ville nous a lâchés plus haut, par le trou de sa serrure, un court tunnel sous l'autoroute vers la clef des champs. Un peu plus loin, on voyait que la voie ferrée s'engageait pour de bon dans la forêt et on sentait la pente sous nos roues qui nous faisait peiner, alors on s'est arrêtés un instant pour téter des gorgées d'eau à nos bouteilles et j'ai vu Habéké verser d'abord un peu de liquide dans la caillasse.

« Ça y est, que j'ai dit, ça va y être, ça va monter plus raide vers le nord. »

On arrivait dans l'inconnu, peut-être bientôt dans les hauts plateaux.

« Il faut ouvrir l'œil.

– Oui, chacun un.

– Surveille bien la fumée entre les arbres ; ça pourrait bien être mon arrière-grand-père. »

Il n'y avait plus personne dans ces parages perdus où on était maintenant seuls, où on entendait déjà tout autour de nous les cris saisissants du monde sauvage. Un grand vent s'était levé qui secouait les feuillées rougissantes et qui charriait dans le ciel de gros nuages au ventre de biche. Habéké et moi on commençait à trembler d'anxiété, mais on a respiré fort et on s'est hissés sur nos bicycles pour aller fendre le paysage, pour aller peut-être jusqu'au bout du monde, trouer la sphère de carton qui nous englobait.

On a commencé à rouler assez lentement, parmi des hautes herbes sèches où s'envolaient en tous sens des nuées de sauterelles vertes, et il y en avait tellement qu'on aurait juré une sorte de feu d'artifice de ces grosses sauterelles vrombissantes qui rendent des gouttes de mélasse par la bouche quand on les angoisse. Habéké m'a crié que c'était peut-être un signe qu'on s'approchait déjà de l'Afrique, vu les locustes, l'Afrique où il paraît que, des fois, les grands arbres sont si chargés de ces insectes qu'il vous tombe dessus sans repos une pluie de crottes minuscules. Ensuite on a roulé de plus en plus vite dans le sentier le long des rails, les yeux grands ouverts sur ce monde neuf qui peu à peu nous avalait et nous envoûtait.

Toute l'avant-midi on a pédalé comme des fous sans jamais chercher autre chose que l'Ityopya des rêves et que Mekkonen le dedjené, le grand esprit ancestral envoyé dans nos cieux par les lointains morts inquiets, et bientôt, sans s'en rendre compte, on n'a plus été dans le pays qu'on connaissait, mais on roulait dans les montagnes bleues d'Abyssinie, à travers la brousse épineuse, et parfois on traversait des clairières inquiétantes, des steppes d'herbes d'or où bougeaient des ombres, des maigres silhouettes noires cachées parmi les troncs d'arbres morts, et je sentais tout mon sang bouillir de peur, et souvent la voie enjambait de petits ravins d'argile où coulaient des ruisseaux jaunes, ou la décharge d'un lac noir où nous apercevions des huttes de castors, mais peut-être que c'étaient des termitières géantes ou des buttes volcaniques, nous ne savions plus ce que nous voyions, puis on a encore traversé des boisés touffus et des prés rocailleux où poussaient des senelliers qui ressemblaient à des robiniers, que me lançait Habéké qui pédalait derrière moi, comme les vinaigriers du fond d'un abattis qui étaient peut-être des mimosas en parasol, ou ces trembles, des eucalyptus, ou ces ormes, des micocouliers, ou les grands thuyas, penchés sur la rivière de sable, des énormes fromagers, et ces joncs en houppe un aloès. Et ce héron vert, là-bas dans l'étang, était peut-être un marabout ; et ces chardonnerets dans le pâturin des prés, peut-être des vols de mange-mil ; et ce gros rocher dans la rivière, peut-être un hippopotame ; et dans les trous d'ombre se cachaient sans doute les panthères, les lions, les hyènes, les phacochères et les singes gris.

À un moment donné on s'est même arrêtés un instant à l'orée d'un brûlis pour cueillir des bleuets, mais Habéké a poussé un drôle de cri sec, comme une peur étranglée dans la gorge, là où les chats se coincent parfois, et on a détalé à toute vitesse sur nos bicycles, parce que mon ami avait aperçu, à la lisière de la forêt, un grand berger solitaire et cruel, une peau de chèvre jetée sur ses épaules osseuses, qui brandissait dans le ciel une corne de bœuf pleine d'hydromel et une queue de vache pour chasser les mouches maçonnes et les tsé-tsé, mais peut-être aussi que ce n'était qu'une souche carbonisée, mais peut-être pas, et on avait bien fait de prendre nos pédales à notre cou.

Plus tard, vers midi, quand on a fait halte pour casse-croûter, on tendait l'oreille à tous les bruits et on épiait tous les mouvements des choses, et, au moindre craquement de branche dans l'épaisseur de la forêt, Habéké se redressait nerveusement et hurlait :

« Mekkonen ! Dedjené ! »

Il criait dramatiquement vers tous les endroits, en créant un cornet avec ses mains, autour du cri, pour l'augmenter.

« Dedjené ! Mekkonen ! »

Assis dans le foin bleu près d'un ruisseau, j'ai laissé mon ami appeler tant que ça lui chantait, puis, quand il m'a rejoint au bout de ses cris, on a mangé des sardines et des œufs durs sans trop parler pour commencer, vu qu'on était profondément imprégnés d'Ityopya, et je me disais que j'y croyais fort, aux esprits qui sont des petits dieux pleins d'émotions qui virevoltent dans l'atmosphère, parmi les pensées et les présences. Le regard en coulisse je zieutais Habéké par en dessous et j'admirais ses longs doigts noirs aux ongles pâles qui pêchaient les sardines huileuses au fond de la conserve toute découpée en crêtes de coq. Comme de coutume, comme Habéké le faisait avec toute nourriture et toute boisson, il en a sacrifié une partie, c'est-à-dire la première sardine qu'il a jetée au loin, dans les herbes du ruisseau, vu que c'était « la part de la terre ». J'ai ensuite regardé ses yeux mobiles et toujours sur le qui-vive, ses yeux charbonneux qui voyaient plus loin que le nez, puis j'ai scruté sa belle tête de médaille remplie de religion, et je me souvenais qu'on s'était déjà chicanés au sujet de l'église où je n'allais plus tellement le dimanche malgré les réprimandes et les punitions de mes demi-parents, parce qu'Habéké me reprochait de ne plus croire. Il disait que, si on peut malmener la Bible comme Gustave Désuet dans ses poèmes, on ne peut pas malmener les dieux, parce que la Bible n'est qu'un objet de quelques hommes, tandis que les dieux dans leur multitude sont l'espérance de tous et chacun, ils sont le souffle de l'infini qui habite le royaume des rêves et sont intouchables en tant que tels, et que la vie n'a aucun sens sans les dieux, comme l'eau n'a aucun sens sans un homme qui a soif et qui rêve de la boire, et pour finir en beauté Habéké m'avait clos le bec avec sa parabole africaine du jeune homme riche et du vieil homme qui n'a rien.

> *Le vieux qui n'a rien,*
> *ce que tu dis n'est pas aimé ;*
> *tu as raison,*
> *mais on n'aime pas ce que tu dis.*

> *Le jeune homme riche,*
> *on aime ce que tu dis ;*
> *ce que tu dis n'est pas vrai,*
> *mais on aime ce que tu dis.*

« Parler des dieux en mal, qu'il m'avait dit, c'est une mode, et moi je pense que tu parles des dieux en jeune homme riche, parce que tu suis la mode comme un petit mouton blanc, comme tous tes semblables. »

Ça m'en avait souverainement bouché tout un coin, et, depuis cette fameuse chicane, voilà que je m'étais mis à croire aux esprits d'Habéké, aux âmes libres et multipliées qui flottaient dans l'invisible où nous baignons toute notre vie, et j'y croyais tellement qu'en ce samedi de septembre je n'aurais pas été surpris de voir surgir non seulement Mekkonen le dedjené à un coude du chemin de fer, mais aussi mon arrière-grand-père à moi, mon ancêtre inconnu à la recherche de mon esprit perdu pour le sauver de l'esprit des fléaux.

Je réfléchissais à tout ça, à la foi et aux dieux, aux esprits et aux hommes, quand tout à coup j'ai eu besoin de voir pour y croire.

« Pourrais-tu me montrer la photo d'Odile ? »

Habéké s'est essuyé les mains dans les épis de chiendent pour tirer d'une poche la petite photographie de notre amie rectangulaire.

« Tiens, tu peux la garder sur toi si tu veux. »

Et comment que je la garderais sur moi ! et bien plus que sur moi, bien plus que sur mon cœur au milieu de la poitrine, mais dedans moi où j'ai une petite église, où j'y mettrais la petite icône de cet esprit qui me brûlait les doigts, l'âme de feu de notre île, petite déesse de l'Amour qui régnait sur notre Exil.

J'ai délicatement posé la photo d'Odile sur un gros pissenlit pour qu'on la voie bien et pour qu'elle nous voie, elle aussi, du fond de sa vie, vu que cette photo était une petite fenêtre qui trouait notre monde, où notre ciel coulait comme de l'eau jusqu'à son monde, emportant nos yeux jusqu'à ses yeux, puis j'ai écaillé un œuf dur après l'avoir craqué sur mon crâne.

C'est alors qu'Habéké qui m'avait vu faire, Habéké qui était une vraie outre gonflée d'histoires, m'a parlé d'un homme de sa lointaine enfance africaine qui avait laissé en lui un de ses rares souvenirs en amharique, un homme appelé Sissaye, un pauvre chevrier qui habitait les plateaux où il gardait dans sa paillote le crâne de son grand-père pour prier l'esprit bienfaisant de veiller sur ses cabris. Mais un jour, malgré les prières et les offrandes du chevrier à son grand-père sacré, des nuages maléfiques ont envahi le ciel et se sont mis à tant pleuvoir que des torrents de boue ont dévasté le pays et emporté presque tous les cabris. Voyant cette catastrophe le frapper, le pauvre Sissaye s'est lancé au milieu du déluge à la recherche de ses animaux dérobés par les eaux, mais le chevrier n'est revenu au village qu'une semaine plus tard, les pieds ensanglantés et les épaules chargées de lambeaux de laine mouillée, et c'est alors que, en pénétrant dans sa paillote, il a hurlé comme un désaxé, parce que le crâne de son grand-père était habité par des intrus. C'est que, pendant son absence, deux minuscules oiseaux avaient fait leur nid dans la bouche ouverte de la tête de mort et ils y avaient pondu un œuf. Sissaye pleurait de rage et de désespoir, parce que l'âme de son aïeul avait été emprisonnée dans la coquille, et puis, comme fou, Sissaye est sorti de sa paillote, poignard au poing, et s'est précipité sur son dernier cabri pour l'éventrer et lui arracher les tripes qui sont venues comme une corde de puits, et ensuite il a placé les boyaux fumants sur le petit œuf pour le faire éclore au plus vite, mais l'œuf n'a jamais éclos. Le lendemain, un sorcier dansait et chantait dans la paillote de Sissaye pour essayer de saisir l'esprit de l'aïeul entre sa baguette et la peau de son tambour, mais l'esprit avait été tué par les fléaux, et le pauvre Sissaye, désespéré à jamais, a lancé l'œuf dans la montagne où l'âme morte de son grand-père a pourri entre les pierres. Et c'est ainsi que le crâne blanchi est devenu muet, et Sissaye, orphelin, ce qui était un péché et une grave impureté, et le lendemain, pour se punir, Sissaye se mettait des charbons ardents dans la bouche et se crevait les yeux avec un vieux clou rouillé.

En terminant son histoire, Habéké a sacrifié l'un de ses deux œufs et l'a lancé au loin, dans un petit pré où flamboyaient les flammes mauves des salicaires.

« C'est la part des esprits... »

★

On a mouliné toute l'après-midi de millions de coups de pédale et on a serpenté comme des mabouls sous le soleil et dans le vent qui parfois nous secouait fort sur nos bicycles, mais on gardait le cap obstinément et on fendait le cœur de l'Afrique noire. Habéké ouvrait la cavalcade, en tête de notre folle équipée, et j'avais de plus en plus de misère à rester dans sa roue, vu qu'il avait comme le feu au derrière et qu'il brûlait l'étroit sentier maintenant hérissé de hautes herbes coupantes qui nous râpaient les cuisses, où parfois nos barouettes rebondissaient très haut dans les airs, propulsées par des bosses ou des gros trous. On a traversé ainsi des champs sauvages, des forêts d'épinettes et des bouquets de bouleaux, on a franchi des ruisseaux et longé longtemps une belle rivière aux eaux rouges, toute en replis secrets et en échappées entre les arbres.

Quand on s'est arrêtés à la tombée du jour, Habéké ne semblait pas fatigué du tout, tandis que moi j'avais la langue jusqu'à terre et la patate au bout du rouleau. Je me souviens qu'on s'est regardés en soupirant, déçus qu'on était de n'avoir découvert aucune trace de l'ancêtre, ensuite de quoi on a défait nos bagages pour préparer le campement de la nuit.

Pendant que je montais la tente sur le plat terrain sablonneux d'une sapinière, Habéké ramassait des brassées de petit bois et de branches bien sèches pour faire le feu. Le vent du jour était tombé, mais on sentait que la nuit serait froide, et déjà on expirait des petits panaches de buée. Quand on s'est installés près des hautes flammes jaunes pour se réchauffer, bien emmitouflés jusqu'aux oreilles, le crépuscule était sur nos têtes et le feu crépitant soufflait des bouffées de flammèches dans le firmament pour l'ensemencer d'étoiles.

« As-tu faim ?
– J'ai faim en tabarnouche. Toi ?
– Moi, j'ai faim en tabarouette. »

On se comprenait comme jamais et on en a profité pour transvider des cannes de ragoût irlandais dans une casserole qui chaufferait sur les braises rougeoyantes, mais on avait si faim qu'on s'est mis à engloutir beurrée par-dessus beurrée.

Une lampe de poche entre les pieds, on avait planté nos couteaux sur une bûche près de nous et fiché nos épées dans la terre sableuse, à portée de la main. J'avoue qu'Habéké et moi, on n'était pas tranquilles, vu qu'on entendait toutes sortes de bruits dans la nuit et qu'on croyait voir rôder autour de nous des hyènes et des lycaons. Habéké reniflait la nuit avec tout son savoir ancien, à la recherche des odeurs de cadavres qui flottent toujours dans le sillage des hyènes, mais il ne humait que le parfum enivrant du ragoût.

Quand la gibelotte a été bien bouillante et bien fumante, on a enfin pu engouffrer après en avoir donné un peu à la terre, et, franchement, ça nous a fait tellement de bien de manger chaud qu'on s'est mis à parler.

« Je me demande à partir de quel âge on ne peut plus mourir jeune, s'est demandé tout haut Habéké entre deux cuillerées de ragoût.

– Euhfff !... Bonne question... Je dirais peut-être vingt-neuf ans...

– Ah ? Et pourquoi vingt-neuf ans ?

– Ben... À cause de Gustave Désuet qui est mort à vingt-neuf ans et que mon dictionnaire dit qu'il est mort jeune. Et puis, de toute façon, il me semble dans ma tête qu'à trente ans on commence à être un peu vieux, pas toi ?

– Je sais pas. On dirait que je pense que ça dépend pas de l'âge. Je veux dire qu'il me semble que certaines personnes pourraient mourir jeunes à quatre-vingts ans, mais que d'autres mourraient de vieillesse à vingt ans.

– C'est pas bête... T'as peut-être raison... »

J'ai jonglé un instant, les sourcils tordus, et j'ai ajouté :

« De toute façon, l'espérance de vie, c'est pas nécessairement une bonne chose, vu qu'avant, les gens partageaient davantage leur temps avec les autres, et ça faisait qu'il leur en restait moins pour eux et qu'ils mouraient plus jeunes ; mais aujourd'hui, l'espérance de vie s'améliore sans arrêt, mais c'est parce que les gens ne pensent plus aux autres et qu'ils gardent tout leur petit temps pour eux, pour le grignoter tout seuls dans leur coin, sans le partager avec personne, et ça fait qu'ils vivent vieux. »

Là-dessus j'ai enfourné une bonne pelletée de ragougnasse et une bouchée de pain beurré, le temps d'y penser mieux, et puis j'ai encore dit :

« Comment voudrais-tu mourir, toi ?

– Je sais pas... N'importe comment, mais pas de soif... Toi ?

– Moi, euh... N'importe comment, mais pas brûlé vif. Noyé, peut-être. Il paraît que c'est une belle mort, c'est ce qu'on dit en tout cas.

– Et assassiné, aimerais-tu ça ?

– Ça dépend par qui. Si c'est assassiné d'amour par Odile, c'est correct, ça me dérange pas, je suis prêt à verser mon sang.

– Et si c'est assassiné de haine par un autre homme qui aime Odile ?

– Ah non ! Ça, ça serait pire que de mourir brûlé ! Mais pourquoi tu me demandes ça ?

– Je sais pas. Pour rien. »

Là-dessus j'ai pensé fouiller ma poche de chemise, sous mon kangourou à capuchon, pour en tirer la photo d'Odile qu'Habéké et moi avons admirée à la lueur des flammes. Elle était belle, notre Odile, dans le feu de la nuit, et on s'est dit qu'une femme, au fond, il n'en faut qu'une seule, et si, par bonheur, c'est la bonne, elle est toutes les femmes.

Soudain, j'ai posé à Habéké la question qui me brûlait la langue depuis toujours.

« Toi, est-ce que tu espères te marier absolument avec une Noire ? »

Je ne sais pas pourquoi, mais il m'a répondu par une question.

« Et toi ?

– Eh bien, moi, s'il n'y avait pas Odile, je serais capable de me voir avec une Noire.

– Et moi je suis capable de me voir avec une Blanche. »

Ensuite de quoi, on est restés longtemps sans parler, à regarder le feu qui consumait tranquillement les grosses branches au ventre tout mangé de braises. On avait l'estomac bien calé et les muscles relâchés, et puis on se sentait le visage tout recuit par les flammes, comme un masque de soleil. Je me rappelle m'être dit qu'on était bien, qu'on avait moins peur, peut-être parce qu'on avait osé se parler d'homme à homme et qu'on était rassurés.

Le feu a fini par s'éteindre et on a senti la fatigue de toute la journée nous tomber dans les jambes, et le serein nous figer le sang dans la nuque.

« Il commence à faire cru », que j'ai dit.

Sur mes mots on s'est dépliés pour se lever lentement, tout courbaturés, puis on a ramassé nos affaires, nos couteaux et nos épées, pour aller se coucher dans la tente autour de laquelle tournoyaient des lucioles en orbite. Je me souviens de l'odeur de la grosse toile et de la fumée accrochée à nos vêtements. Je me souviens des cri-cri des grillons et du hululement des oiseaux de nuit, du bruit musical d'un ruisseau qui coulait tout près. Je me rappelle aussi la douceur du sol sous la tente et le bonheur de s'allonger sur un lit de sable, et je me suis demandé dans mon épuisement si on était assez loin de la maison pour être en Exil. Mais je me souviens surtout de ce qu'Habéké m'a murmuré alors qu'il glissait dans le sommeil.

« Il y a des signes... toutes sortes de signes... le cri d'un chacal la nuit... la vue d'un singe pleureur... d'un caméléon sur une fourmilière rouge...

– Hein ?... Qu'est-ce que tu dis ?...

– Si t'es là... si t'es là quand ça m'arrivera... il faudra que tu me mettes debout... sous un balanza ou sous un peuplier... je veux dire dans la terre... debout... et surtout... surtout il faudra que tu attaches une bande de coton blanc à une branche... parce que c'est le symbole... le symbole de la parole de celui qui est parti... »

★

L'œil entrouvert dans mes rêves déchirés, je voyais pâlir le petit matin à travers la tente et j'entendais dans le ciel, tout près, d'incroyables croassements de corneilles, mais je me suis reviré de bord et j'ai tortillé des fesses pour me creuser une confortable enfonçure dans le sable, dans l'idée de me rendormir pour faire la grasse aurore.

« Entends-tu les corneilles ? que m'a alors demandé Habéké.

– Tu dors pas ?

– Je suis réveillé depuis un petit bout de temps... Entends-tu les corneilles ? »

Un quart d'heure plus tard le soleil se montrait le visage entre les pointes des sapins et brillait de tous ses feux à travers la toile, et, quand Habéké et moi on s'est levés pour de bon dans l'atmosphère, on s'est émerveillés de la rosée qui recouvrait les herbes et les fleurs sauvages comme un voile d'étincelles.

« As-tu entendu le train passer cette nuit ?

– Oui, il montait dans le Nord. »

Pendant qu'Habéké déplantait les piquets et repliait la tente, je me suis occupé de rallumer le feu dans le cercle de pierres où il ne restait de la veille qu'un cône de cendres refroidies. Assis à croupetons, j'ai pensé que j'avais hâte de manger du bon gruau bien bouillant et bien sucré à la cassonade et bien amélioré de raisins secs et de cannelle et de noix de coco.

Je bâillais un grand coup et m'étirais et frottais mes yeux encore encroûtés de sommeil, et je m'étonnais bien de ce que rien ne bougeait dans la forêt autour de nous, de ce qu'aucun souffle de vent n'agitait les branches, mais il y avait toujours ces satanées corneilles qui s'égosillaient un peu plus haut sur la voie ferrée.

« J'ai bien envie d'aller voir ce que c'est, m'a lancé Habéké.

– O. K., on y va. »

Dès qu'on a mis le pied sur le chemin de fer, on a vu l'étrange bizarrerie, cent pieds devant nous, où des dizaines de corneilles tournaillaient en hurlant au-dessus des broussailles, comme un grand tourbillon de vautours en accents circonflexes, et tout à coup Habéké et moi on a comme réfléchi et on a senti la frousse renaître en nous d'un coup sec en même temps que l'Afrique ravivée comme une plaie.

« J'pense que… qu'il y a quelque chose, là-bas, dans les buissons…

– C'est quoi tu penses ?

– Sais pas pantoute. Quelque chose qui a l'air d'excitailler les oiseaux en tout cas.

– Je suis sûr qu'il y a des hyènes ! Il me semble que je les sens ! »

Nos narines frémissantes ont reniflé l'air tout en cherchant des pistes d'hyènes dans le sable, puis on s'est tout envenimés.

« J'ai peur ! Tu devrais mettre ton équipement de gardien de but ! »

On est retournés au campement en trébuchant sur les moindres cailloux, où Habéké m'a aidé à sangler nerveusement mes grosses jambières de cuir, à enfiler le plastron, le bloqueur, la mite et le masque, et c'est ainsi que, tout cuirassé comme un hockeyeur, j'ai ouvert la marche héroïque, l'épée au poing, avec Habéké tout ramassé dans mon dos, mais j'avançais sur les traverses à petits pas, vu l'épouvante des lions et des panthères qui me tenaillait.

À quelques pas du lieu-dit de la bizarrerie, les corneilles nous attaquaient presque, et moi j'avais les jambes en vermicelles et le cœur en bouillie.

« Qu'est-ce qu'on fait ?

– Faut aller voir !

– T'es sûr ?

– Oui, faut y aller... »

J'ai soupiré profondément comme si j'allais à l'abattoir et j'ai retiré mon masque.

« Tiens, que j'ai dit en me retournant vers Habéké, mets au moins le masque de goaleur. »

Là-dessus j'ai quitté les rails pour pénétrer lentement la lisière en friche de la forêt. Je me souviens que je tremblais de partout et que j'avais le souffle coupé, que j'écartais les branches des arbustes avec mon épée et que je sentais Habéké sur mes talons, qui s'était masqué et blotti tout contre moi, et tout à coup, débouchant sous l'entonnoir des corneilles, dans la petite éclaircie, j'ai vu ce que je n'aurais jamais voulu voir et j'ai cru mourir suffoqué d'horreur. Transformé instantanément en femmelette par ma vision, j'ai senti la folie s'emparer de mes jambes et tout mon sang refluer vers la poitrine, mais j'ai là comme un trou de mémoire qui a englouti ma fuite, et la première chose que je revois ensuite dans mes souvenirs, c'est le campement où je suis à terre, foudroyé et tout empêtré dans mes jambières, dans mon épée et mon plastron qui m'asphyxie comme une camisole de force, et j'aperçois Habéké, blême à côté de moi (oui, Habéké blême), et, rien qu'à voir ses yeux, je sais que lui aussi a vu les ossements dans les ronces.

« As-tu vu ça ? qu'il me demandait sans arrêt, as-tu vu les os ? as-tu vu... ?

– Oui... oui... j'les ai vus... »

J'étais tout étourdi et j'avais le cœur soulevé de dégoût, vu la décomposition des êtres.

« Mais c'est des os de quoi, tu penses ?

– Des os d'homme !

– Hein ? T'es sûr ?

– T'as pas vu le crâne ?

– Y avait-y un crâne ?

– Ben oui ! Un crâne brisé, pis c'est le crâne de mon arrière-grand-père, c'est certain, parce que mon arrière-grand-père était un homme brisé... »

Habéké s'est mis à pleurer des larmes froides comme ses sueurs à l'idée de son Afrique tuée dans les broussailles, et soudain il s'est redressé d'un bond et je l'ai vu repartir à la course vers le tourbillonnement d'oiseaux.

« Habéké ! Va pas là ! Habéké ! »

J'avais beau m'époumoner comme si j'allais devenir veuf d'un moment à l'autre, il est resté sourd à mes fraternités, mon ami, et je me suis vite dépouillé de tout le bataclan de gardien de but qui m'empêchait de vivre. Quand j'ai réapparu sur le chemin de fer, Habéké se ramenait à toutes jambes, avec à la main un tronçon d'os long et un second fragment que plus tard je verrais que c'était un morceau de l'assiette crânienne avec la moitié de l'orbite et l'arcade, et que peut-être c'étaient juste des bouts de quelque chose comme un orignal ou un ours qui pourrissait dans la branchaille, mais peut-être que non, peut-être que c'étaient vraiment les restes humains de Mekkonen le dedjené, en tout cas Habéké en était convaincu et il me convainquait.

« Vite ! Allons-nous-en ! Partons ! »

On a enfourché nos bicycles et on a fui à cent milles à l'heure en laissant tout derrière nous, la tente, les épées, les jambières, tout, et tête baissée on a foncé vers chez nous, à une vitesse si vertigineuse qu'à un moment donné j'ai frappé d'aplomb une si grosse bosse que la corde a pété derrière et que ma barouette a revolé dans un fossé si profond que j'ai même pas pris la peine de m'arrêter pour.

On a pédalé comme des possédés toute l'avant-midi sans même s'arrêter pour respirer ni pour boire un peu d'eau dans le creux des ruisseaux, et, comme la pente descendante était forte, on enflammait carrément le sentier, et vers deux heures on a enfilé le tunnel sous l'autoroute pour déboucher dans les wagons de la zone industrielle et sur les longs talus qui fendent en deux la poire de notre petite ville, et c'est en retrouvant l'asphalte des rues que je me suis aperçu que j'avais la roue avant faussée, vu que ça roulait carré.

Après avoir détruit toute l'Afrique qu'on avait construite la veille, on a fini par s'arrêter à l'épicerie Kik-Cola, en face de l'aréna, où on s'est assis dans les marches de ciment pour souffler. On se regardait et on n'en revenait tellement pas qu'on restait sans voix.

« Bouge pas, que j'ai fini par articuler, j'vais aller acheter de quoi à grignoter. »

Quand je suis ressorti de l'épicerie avec des gâteaux de cellophane et des berlingots de lait, Habéké tenait serré contre lui son petit sac à dos dans lequel il avait rapporté les os, et j'ai lu le désespoir dans ses yeux. Pauvre Habéké, que je me disais, pauvre de petit lui qui avait tant cherché Mekkonen le dedjené par toutes les Ityopya de ses plus grands rêves, mais qui n'en avait ramené que de la poussière d'homme.

★

Le lendemain, à ma grande inquiétude, Habéké a manqué la classe, et dans l'autobus scolaire, encore tout fébrile que j'étais, j'ai raconté de A à Z nos mésaventures à la pauvre Odile toute chagrinée, qui n'en croyait pas ses oreilles et qui s'empoisonnait le sang pour Habéké.

J'ai passé la journée à ne rien comprendre de ce que m'enseignaient mes professeurs, vu que je songeais sans repos à mon ami, et puis, après l'école, j'ai téléphoné chez Habéké pour prendre de ses nouvelles et je l'ai eu au bout du fil qui m'a dit qu'il allait mieux. Ça m'a soulagé dans un sens, mais je lui trouvais tout de même une drôle de voix, un brin pante-

lante on aurait dit, et il m'a répondu que c'était sûrement l'émoi d'avoir lu, dans la journée, dans un petit
livre de son poète Mamadou Traoré Diop de Ouaga-
dougou, déniché aux mêmes puces où moi j'avais
déniché Gustave Désuet, une messe mandingue pour
des funérailles négro-africaines...

> *Je vous en prie, je vous en supplie*
> *Ne me faites pas les honneurs*
> *que je n'aime pas*
> *Surtout gardez-vous de pleurer les morts*
> *Il faudra rire, il faudra sourire*
> *Car mourir c'est bien vivre*
> *Parmi les ancêtres si vivants.*

Ensuite de quoi, Habéké m'a invité, après le souper, dans le vieux hangar dans sa cour, à venir voir la
flûte qu'il avait sculptée dans l'os long du dedjené, et
son masque des visages brûlés, inspiré du crâne de
Mekkonen le magnifique. Il m'a dit aussi qu'il chan-
terait pour offrir aux esprits perdus un visage à habiter comme une Ityopya retrouvée, et qu'il jouerait des
airs pour la danse sacrée de l'aïeul sauvé de l'oubli.

XIV

Ce soir-là, après souper vers sept heures, voilà que je roulais sur mon bicycle à la roue faussée, et que je tournais avec tout mon courage dans la rue Lanthier où vivait mon rêve dans une boîte à chaussures, un petit bungalow blanc où brillaient toutes les fenêtres dans la naissance de la nuit.

J'ai couché mon bicycle sur l'asphalte de l'allée de garage et je suis allé me pendre à la sonnette pour carillonner, et c'est Odile en personne qui m'a entrouvert et j'ai eu une boule dans la gorge et une faiblesse au cœur. Elle mâchait encore une bouchée de dessert dans le bruit de la télévision et elle me questionnait de ses grands yeux de fille, et c'est alors que j'ai baragouiné une invitation à m'accompagner chez Habéké, vu que l'Afrique la fascinait et qu'elle s'était fait du sang d'encre pour mon frère de sang. Elle m'a dit d'attendre un peu et des voix ont résonné dans la maison, et les petites têtes de Philippe et Marilou sont apparues avec leurs moustaches de lait, comme deux cantaloups dans la fenêtre du salon. Je leur ai envoyé la main, et une autre tête sombre s'est montrée, plus grosse et frisée, une tête de femme, puis Odile est sortie par la porte d'aluminium du

côté, sous l'abri d'auto, en enfilant les manches de
son blouson en jean dans un secouement de longs
cheveux noirs. Elle m'a montré l'index d'une minute
et elle est allée chercher son bicycle dans la cour, et
ensuite on a marché dans la rue.

« C'est-y ta mère qui nous regardait dans le châssis ?

– Ça pouvait pas être mon père, j'ai pus de père.

– T'as pus de père !

– Je veux dire que mon père a décidé d'avoir une
autre femme que ma mère et d'autres enfants que
nous autres, ça fait que moi j'ai décidé de pus avoir
de père. Qu'y mange de la chnoutte, le maudit ! »

Ça m'en a bouché un immense coin, vu que moi
je cherchais mes pères et qu'Odile, elle, aux prises
avec de sérieux problèmes d'ère adulte, avait zi-
gouillé le sien sans se défriser les sourcils, et je me
suis senti mal tout à coup, comme de trop dans sa
vie, et je me suis demandé ce que je trouverais à lui
dire désormais, mais elle avait Habéké dans la tête,
ce qui la faisait parler à ma place.

« Comment qu'il va ? Qu'est-ce qu'il a eu ?

– Il a l'air d'aller pas pire, mais je sais pas ce
qu'il a eu, il m'a rien dit. »

On a allongé le pas et, une fois rendus au coin du
boulevard, on est montés sur nos bicycles pour aller
plus vite. On roulait côte à côte, elle rond et moi
carré, et je me souviens que du coin de l'œil je voyais
la ligne claire de son visage découpé sur la noirceur
du monde, et je voyais flotter ses cheveux, longs
comme des nuits sans sommeil, et ses mains baguées
enserraient le guidon, et pour la première fois j'ai eu
le cœur brisé et j'ai eu très mal dans les entrailles au

fond de moi, mais ce n'était pas une douleur d'enfant qui s'envole, mais une douleur d'homme qui arrache le morceau pour toujours.

« C'est vraiment vrai que vous vous êtes épousés ? »

Elle n'avait pas l'air d'en revenir, et moi dans mon mal j'ai dit oui comme on souffre. Ensuite de quoi, Odile m'a avoué qu'elle aurait donné cher pour assister à ces incroyables cérémonies nuptiales que je lui avais racontées, mais j'ai rien répondu. En Afrique, que je pensais, la polygamie est partout vu les croyances, et Odile aurait sûrement l'occasion d'assister à d'autres noces d'Habéké, mais j'ai pas voulu remuer le poignard dans sa plaie.

Ô Odile, que je me disais, ô mon Odile de toutes les femmes, d'où venaient toutes ces bagues qui irradiaient comme des douleurs dans ma nuit ?

★

On a accoté les bicycles contre un arbre dans la cour enténébrée des Godin, où dans les vitres du vieux hangar vacillaient d'étranges lueurs qui projetaient sur les murs des ombres fantastiques. Odile et moi on s'est regardés un coup, l'air un peu tracassé, avant de pousser la porte qui a tourné en grinçant sur ses gonds.

« Habéké ? Es-tu là ? »

Une odeur de pétrole nous a chatouillé le nez et nous avons prudemment franchi le seuil du hangar. À l'intérieur, une lampe à huile et des chandelles brûlaient sur l'établi, mais tout semblait calme dans la pénombre.

« You ! hou ! Habéké… »

Soudain un dieu nous est tombé du ciel par la trappe du grenier ouverte dans le plafond. Odile et moi on a crié dans un sursaut, vu la peur éternelle qui saisit l'homme dans le noir, et on a reculé nerveusement dans un recoin du hangar pour se cacher derrière des chaises de jardin et le barbecue à roulettes. Avec le retour dans mes veines d'un peu de sang froid, j'ai reconnu Habéké par sa couleur unique et par ses jambes inimitables qui ne savaient pas mentir, et plus tard j'apprendrais qu'il s'était glissé dans le grenier pour attendre ma venue, comme un enfant en gestation dans le ventre de l'univers, et qu'à mon arrivée il avait voulu renaître devant moi, mais il ignorait que je ne viendrais pas seul.

« J'ai peur ! m'a soufflé Odile à l'oreille, je veux m'en aller d'ici. »

Moi aussi j'aurais bien voulu déguerpir, mais nous étions paralysés devant Habéké qui se déhanchait devant nous, et complètement nu avec ça, mais je veux dire complètement, avec les bijoux de famille au grand air et le corps tout recouvert de couleurs et de dessins magiques. J'ai vu qu'il avait enfilé le masque de gardien de but ramené des hauts plateaux avec les ossements de Mekkonen le dedjené, mais avec des feuilles de tôle salies de charbon de bois il avait agrandi son masque en une sorte de vaste visage brûlé qui faisait penser à un soleil de mort ou à une tête de lion cruel, vu tous les bouts de laine jaune et les brins de paille d'or d'un balai collés en rayons de feu sur tout le pourtour. Et puis Habéké avait aux poignets des bracelets cliquetants, des anneaux et des pierres lustrées, et au cou un collier de plumes d'oiseau, et sur sa hanche droite il portait un petit tam-tam attaché à une ceinture de cuir, et il en frappait la peau de ses mains souples dans un rythme nègre, comme une explosion d'Afrique dans tout son genre humain, et tout à coup j'ai remarqué qu'il avait des chaînes aux chevilles, des petites chaînes de balançoire d'enfant, en symbole du passé de son peuple d'esclaves, et là-dessus Habéké s'est mis à chanter en amharique de longues complaintes douloureuses comme un soleil de famine, pour inviter les esprits souffrants à venir habiter la maison de son masque et à se faufiler dans notre monde de chair et d'os, et toute la bouche du masque avait été peinte en rouge à cause du sang qui arrose les vivants et qui coule dans les paroles données des générations. Une pipe aussi pendait aux lèvres du masque, une pipe sculptée dans un morceau de bois comme un souvenir de baobab, et, tout en poussant ses cris chantés vers le ciel des morts, Habéké se cambrait sur ses reins et ondulait de tout son corps au rythme du tam-tam, et, dans ses grands moulinets du torse, toute sa crinière sauvage vibrait en froufroutant.

J'apprendrais plus tard que, dans ses gémissements, Habéké chantait la naissance déchirante de l'univers, l'univers né par césarienne, d'une déesse-mère morte en couches, et que tous les soleils de l'univers, trop brûlants pour passer par les voies naturelles de la Femme, avaient crevé la peau du ventre pour en sortir comme un collier de perles de feu, et de là venait le nombril de tous les enfants de l'univers, vestige de la blessure mortelle de la mère des mondes.

Et puis Habéké est soudainement devenu un peu plus fou et il s'est mis à crier plus fort, comme s'il renaissait avec son aïeul sauvé de l'oubli, et dans ses hurlements je l'entendais nommer les balanza et les tatagu kononi, et ma peur avait redoublé, comme la peur d'Odile qui tremblait comme une feuille auprès de mon épaule, et j'avais l'impression que les flammes m'aveuglaient, que les chants d'Habéké et les battements du petit tambour m'ensorcelaient peu à peu.

Habéké dansait maintenant dans une frénésie de mouvements hachés et de sueur bouillante qui huilait tout son maigre corps noir où luisait le feu, et toute sa crinière d'or éclatait en volées de serpents rageurs où l'écume giclait en crachats de venin, et ses mains palpitaient sur la peau tendue du tam-tam.

Et puis tout d'un coup, comme les flammes commençaient à me dévorer l'âme, le silence est tombé sur nous comme un lourd bloc de ténèbres. Le tambour et les cris avaient cessé, parce que les esprits avaient enfin accepté de pénétrer dans le hangar où Odile et moi étions morts de peur. Devant nous, agenouillé sur les planches et le visage masqué tourné vers le ciel, Habéké se laissait lentement habiter par les êtres silencieux descendus de la nuit qui nous écrasait.

« C'est les esprits », que j'ai murmuré.

Je jurerais que je les ai vus tellement j'y croyais fort, je le jurerais sur la tête et le sang de ma vraie mère, mais Odile, qui s'était serrée contre moi, ne voyait rien.

« Oui, c'est les esprits.

– Quels esprits ?… Où, ça ?…

– Là ! Les lueurs volent autour de sa tête ! Il y en a une qui vient d'entrer par ses yeux ! »

Habéké a saisi la flûte d'os à sa ceinture et a laissé tomber la pipe pour se mettre à souffler, par la bouche du masque, des notes stridentes qui nous déchiraient le tympan, et Odile près de moi pressait les mains sur ses oreilles, et c'est alors que je l'ai vu, oui, je suis certain que je l'ai vu de mes yeux vu.

« L'aïeul ! Je vois l'aïeul ! »

Odile avait beau suivre le papillonnement de l'esprit au bout de mon doigt, elle ne voyait toujours rien, et moi j'ai encore crié :

« C'est lui ! C'est Mekkonen le dedjené ! »

Terrifiée jusqu'à la moelle, Odile qui n'en pouvait plus s'est dégagée violemment de notre cachette au fond des ténèbres pour se précipiter vers la porte du hangar et je n'ai rien pu faire pour la retenir, mais dans sa fuite éperdue elle a trébuché sur je ne sais quoi, et dans sa chute elle a bousculé Habéké et Habéké a accroché la lampe à huile qui s'est fracassée sur le plancher de bois du hangar, et j'ai vu comme un flot de feu liquide éclabousser des pneus et une pile de vieux journaux, et l'instant d'après de hautes flammes léchaient déjà les murs jusqu'au plafond et entouraient le bidon d'essence de la tondeuse à gazon, et la fumée nous attaquait les yeux et la gorge, et c'était l'enfer devant moi. J'ai eu de la peine à me sortir de mon trou à rat, tout emberlificoté dans les râteaux et les hamacs, et, quand je me suis enfin relevé, j'ai vu qu'il était trop tard, que l'issue était bloquée par un mur de feu, et Odile hurlait de toute son âme, et Habéké assommé roulait à terre comme un homme soûl, et j'ai pensé qu'on mourrait là, que tout était fini, et je regardais sans bouger l'aveuglant incendie et les paquets de fumée qui roulaient au

plafond, et je ne pouvais plus respirer et je sentais les
vêtements qui me brûlaient sur la peau, mais tout à
coup la vie m'est revenue par tout le corps et j'ai
bondi dans un coin du hangar où d'un coup de bêche
j'ai brisé la vitre d'une étroite fenêtre et arraché avec
le manche tous les tessons et les dents de verre, et
après j'ai saisi Odile par les épaules pour la jeter à
travers le châssis, puis j'ai soulevé Habéké, Habéké
dont j'ai eu l'impression de ne voir que les fesses ruis-
selantes et rebondies, et je l'ai poussé par la fenêtre
lui aussi, ensuite de quoi je ne me souviens plus de
rien, tout empoisonné que j'étais par l'épaisse fumée
étouffante, mais j'ai dû plonger dans l'ouverture sans
m'en rendre compte, vu que je suis toujours vivant,
mais j'ai oublié.

Ensuite c'est un tourbillon de feu et de cris où
j'entends vaguement des sirènes dans la nuit, où je
vois des ombres s'agiter devant mes yeux, et je leur
parle de l'aïeul, je leur dis de ne pas se laisser habiter
de force par les esprits, parce que sinon l'âme se perd
et ne peut revivre que par l'exorcisme, mais je parle
à des silhouettes affolées qui ne m'écoutent pas, et je
rêve, je rêve, je tombe dans la nuit qui me happe, et
je chute, je chute, et je traverse les étoiles, et je tombe
dans le soleil où vit un géant, et le géant m'avale et je
dégringole dans ses étoiles, et je traverse tout son
être, et je tombe dans son cœur, son cœur qui a la
forme d'un homme qui me tue, et il me tue, et je suis
mort, et à mon réveil, un inconnu penché sur moi me
demande combien nous étions dans la baraque, et je
revois Odile, Habéké, l'aïeul Mekkonen, les ancêtres
et les dedjené, et je murmure dans un souffle :

« On était des milliers… »

XV

Odile et moi on a passé la nuit et la journée du lendemain à l'hôpital, mais pas dans la même chambre, vu les crucifix au-dessus des portes, sans compter les mœurs dans l'établissement. On y était en observation qu'elles disaient les gardes-malades, à cause des coupures, des brûlures et de la fumée qui avait moutonné dans nos poumons et les avait tout tapissés de suie, et en observation j'ai pu observer que je m'étais méchamment bien ouvert l'avant-bras sur un tesson de fenêtre. J'avais une couture ravissante qui me ferait un beau souvenir rapporté du sinistre. Habéké, lui, il y est resté deux bonnes semaines, tout blotti comme un poussin dans l'aile des enfants malades, parce que de nous trois c'était lui le plus abîmé, vu la nudité qui ne pardonne pas en enfer. Habéké souffrait de brûlures plus graves que nous sur les épaules et les bras, mais, heureusement, le masque sacré qu'il portait ce soir-là l'avait empêché de perdre la face à tout jamais, paraît-il, mais peut-être aussi que c'était Mekkonen le dedjené qui l'avait protégé des flammes.

Comme de raison, l'histoire pleine de viande autour de l'os a déchaîné les commérages dans les chaumières et dans l'au-delà, et on a même eu l'honneur de nos portraits dans le journal régional, et même la photo du pauvre hangar tout effondré dans sa ruine calcinée. Une sorte de journaliste y parlait de Mabiké Aksoune, rien de moins, et d'Odile Francœur et Hugues Paradis, alors qu'il aurait fallu faire un peu de commutativité, comme en mathématiques. On avait beau tout décrire de notre mieux selon nos souvenances, le bruit se répandait que nous nous étions abandonnés dans le hangar à des rites sataniques et à de la magie noire, à de la sorcellerie et à des maudits plans de nègres, et quand mes demi-parents, tout effondrés comme les ruines, ont maladroitement essayé de m'amener à peut-être envisager un examen psychologique, c'est pas mêlant je les aurais tués.

Dès le surlendemain, Odile et moi on était de retour sur le coin de rue dans un matin de pluie froide, Odile avec des cheveux envolés en fumée, moi avec mon bras recousu en écharpe, et les copains entouraient Odile, vu qu'elle faisait pitié en tant que fille écorchée vive, mais tout le monde me fuyait comme si j'avais eu la peste, et même les grands retardés de l'autobus de ramassage me laissaient tranquille, ce qui est tout dire, et je me retrouvais seul sur ma banquette, alors que le beau Alexandre ne lâchait plus Odile d'une semelle. Oh, elle me parlait, Odile, elle ne m'avait pas complètement abandonné, mais à travers moi c'est Habéké qui l'intéressait, Habéké qui lui avait flanqué la peur de sa vie dans le hangar, mais qui l'envoûtait d'un autre côté, par l'Afrique inimaginable.

Tous les soirs, après l'école, j'oubliais l'autobus jaune pour rentrer à pied dans l'automne, ce qui m'oc-

casionnait de pleurer la froideur d'Odile, mais surtout
de visiter Habéké à l'hôpital qui s'élevait à mi-chemin
dans les arbres. Au commencement de son hospitalisa-
tion, Habéké a dû garder le creux de son lit sans trop
bouger et il ressemblait, par le torse et les bras, à un
pharaon momifié dans ses bandelettes. Souvent
madame Godin était là, enfoncée dans un fauteuil au
chevet d'Habéké, et elle passait son temps à ne pas parler et à renifler les événements en boucle, un kleenex
roulé en boule dans son corsage, et parfois monsieur
Godin épluchait nerveusement un journal, assis dans
une chaise inconfortable. Quand je poussais mon nez
dans la chambre, madame Godin me saluait avec une
discrétion de femme sans oser me regarder dans les
yeux, monsieur Godin éventuellement, et on nous laissait seuls, Habéké et moi, pour qu'on fraternise en paix.

La toute première fois que je l'ai revu après sa
danse rituelle pour l'amour des tribus ancestrales,
j'avoue que j'avais un peu peur de lui, vu que je me
demandais s'il était revenu au complet en lui-même,
s'il n'avait pas laissé des morceaux de son âme dans
le royaume des morts, mais il m'a eu l'air d'être bien
celui que je connaissais avec toute sa tête et il m'a
expliqué que c'était normal, dans une transe africaine, de devenir soi-même le masque au milieu des
esprits, soi-même esprit parmi les dedjené, et que
c'était même la condition d'une cérémonie réussie,
mais que le phénomène un peu occulte n'avait rien à
voir avec l'hypnose des nécrophilitiques ou les dia-
bleries vaudou. D'ailleurs Habéké affirmait se souvenir de tout, sauf de l'incendie qui lui semblait tombé
du ciel comme une comète, alors je lui ai raconté
toute l'histoire en menus détails, excepté que je ne lui

ai pas dit que je lui avais sauvé la vie, parce que j'ai toujours haï les héros, vu qu'un héros, pour être tel, doit forcément faire mousser lui-même ses exploits, ou laisser courir l'idée de son héroïsme en nourrissant dans son cœur une satisfaction muette, et dans les deux cas l'orgueil étouffe et tue l'héroïsme.

« Mais comment ça se fait qu'on s'est retrouvés dans le gazon tous les trois ?

– C'est les esprits qui nous ont soulevés. »

Un homme digne de ce nom, que je me disais, c'est un parfait inconnu qui a tu tout ce qu'il a pu faire de bien ou qui a eu la sagesse de toujours contredire ceux qui tâchaient de le vanter sur tous les toits, et ça fait que j'ai tout tu par haine de la vanité, et je ne voulais surtout pas qu'Habéké me doive une vie, vu le poids de la dette. Et c'est comme ça qu'on s'est retrouvés entre frères de sang, bien vivants et en bonne voie de cicatrisation.

« J'ai vu un psychologue aujourd'hui, m'a dit Habéké un soir.

– Tiens, tiens… Il t'a demandé quoi ?

– Rien. Il voulait juste savoir comment ça allait et j'ai dit que ça allait pas pire, comme tout le monde.

– Mon petit doigt me dit que tu vas le revoir demain, mon vieux, vu qu'astheure qu'il t'a, il va te coller aux fesses comme une fièvre jaune, parce que je sais pas si tu te rends compte, mais t'es un cas en or, toi, t'es tout rempli d'avenir pour un thérapeute.

– Merci.

– Bienvenue. »

J'étais le seul qui faisait rire Habéké et ça lui faisait du bien même si ça lui faisait mal, à cause des jeunes peaux qui détestent se dérider.

« J'ai vu ça, c'est pas mal laid, c'est de la vraie peau de crocodile.

– C'est mieux que pas de peau pantoute, mon noir. »

Oui, je le faisais bien rire, mon ami, mais un soir, sans rire, je lui ai avoué que, en dehors de sa chambre, tout le monde nous regardait de travers avec l'air de vouloir nous tuer, toujours et tout partout, dans les rues, à l'école, même dans l'hôpital, vu qu'on nous croyait possédés de Lucifer, et je lui ai dit que j'avais envie de m'enfuir, de disparaître à tout jamais sans laisser d'adresse, d'abandonner cette ville à ses âneries, mais Habéké me demandait de me calmer, de respirer par le nez et d'attendre un peu que le temps passe, de ne surtout pas partir sans lui, et je m'apaisais un brin, mais, de retour chez moi, je me remettais à bouillonner et à rêver d'Exil.

C'est ainsi qu'un soir, à la télévision, je suis tombé par accident sur un film documentaire qui parlait d'un homme qui pour commencer m'avait fait songer à Gustave Désuet, et que c'est même pour cette raison-là que je n'avais pas éteint le téléviseur, et cet homme dont je parle était un romancier russe intitulé Alexandre Isaievitch Soljenitsyne. Ce que j'ai retenu d'abord de sa vie et qui m'a beaucoup frappé, c'est que son père est mort avant de naître en 1918, et donc que le petit Alexandre n'avait qu'une mère à Rostofsurledon ou quelque chose comme ça, c'est en Russie, puis qu'on l'avait bien décoré à la guerre après des études brillantes dans des domaines impressionnants comme la physique et la philosophie, avant de plus tard lui découdre sa nationalité, mais entretemps Alexandre Isaievitch avait connu un exil de quatre ans pour avoir osé écrire tout le mal qu'il pensait du Petit Père des Peuples, un homme, et un deuxième exil dans un camp de concentration où Alexandre Isaievitch avait pu se concentrer durant huit ans à ruminer dans la souffrance des romans qui naîtraient plus tard de ses souvenirs, mais voilà qu'à la fin du documentaire on venait de le botter pour de bon hors de la Russie, dénudé de son passeport et de sa nation, et que le pauvre homme avait atterri en Suisse en attendant un nouveau destin, mais il faut savoir qu'on l'aurait sûrement assassiné s'il n'avait pas eu son prix Nobel à la boutonnière. Et voilà, personne ne savait ce qui arriverait maintenant, vu que c'était la fin du documentaire, et qu'il fallait qu'à partir de désormais la vie recommence à se vivre et que l'histoire se fasse ; et dans dix ans un nouveau documentaire nous dirait peut-être quelle aurait été la suite des jours d'Alexandre Isaievitch Soljenitsyne. On en était là dans le monde où on vivait.

Toujours est-il que, ce soir-là, j'ai eu comme une nouvelle apparition miraculeuse, celle d'un homme prodigieux qui m'avait forcé le respect et qui connaissait tous les secrets de l'Exil, et qu'en tant que tel il pouvait nous aider infiniment, Habéké et moi, vu qu'on se tuait justement à chercher cette terre d'Exil qui manquait à notre bonheur.

Le lendemain j'ai raconté la vie mouvementée d'Alexandre Soljenitsyne à Habéké qui n'en croyait pas ses yeux, et, quand je lui ai fait part de mon idée d'écrire à ce grand exilé pour le questionner sur les possibilités de vie dans l'Exil, Habéké a eu comme un regain d'espoir dans son être et ça lui a fait mal à la peau.

« Oui, il faut lui écrire tout de suite, aujourd'hui, il faut lui demander des conseils, sais-tu où il habite ?

– On peut dire qu'il habite en Suisse ou en Exil, c'est pareil.

– Trouve de quoi écrire qu'on lui écrive ! »

C'est ainsi que ce soir-là, assis dans une chaise d'hôpital, j'ai écrit sur du papier d'hôpital, avec un stylo d'hôpital, une longue lettre à celui que nous avions baptisé du beau nom de père spirituel, et nous lui disions que nous avions failli mourir à la recherche d'un monde meilleur, mais qu'on mourrait de toute manière de ne pas le trouver, et nous lui parlions de l'arbre de vie dans l'île d'Exil de nos rêves, de l'Afrique perdue d'Habéké et de Mekkonen le dedjené, l'exilé éternel dans le monde des esprits, de mes yeux venus de Chine où mes parents sont morts avant de naître, comme lui en 1918, et on lui disait qu'on voulait qu'il nous remplisse d'avenir.

[...] vous qui avez si bien connu l'Archipel, qu'ils ont dit à la télévision, vous qui avez eu tant de courage pour vivre vieux dans votre Russie soviétique si froide, vous qu'on va essayer de lire tous les livres, on vous demande un peu de votre force pour nous aider à ne pas mourir jeunes dans cet Accident qu'on déteste et nous voulons que vous nous montriez par où se trouvent l'Exil et son île qui sauvent les hommes tels que vous, et comment y vivre et y créer un peuple sans l'hypocrisie de l'ère adulte...

Le lendemain après-midi, j'ai quitté l'école comme une flèche pour courir au bureau de poste avant la fermeture des fonctionnaires, et là, tout essoufflé et tout tremblotant d'émotion, j'ai acheté une enveloppe spéciale qui peut traverser l'océan, j'ai fait peser nos mots par un postier incrédule, et puis j'ai liché quelques timbres qui goûtaient mauvais, mais c'est ainsi qu'un peu de notre espoir a réussi à prendre le ciel.

> Alexandre Isaievitch Soljenitsyne
> Écrivain russe
> Exil (Suisse)
> PAR AVION

Je n'ai pas écrit mon adresse d'expéditeur sur l'enveloppe, parce que je me disais que, si cette lettre devait se perdre dans l'infini, je voulais qu'elle ne nous revienne jamais d'Exil.

XVI

La semaine suivante, comme Habéké était en bonne voie de faire peau neuve, on lui a donné la permission de se lever debout et de se promener un peu sur son étage si le cœur lui en disait, et le cœur lui en a tellement dit qu'il s'est mis à vivre parmi les malades, mais il ne s'imaginait pas que cette vie le mènerait aussi loin, dans un nouvel univers qu'on ne voit pas de la rue, un autre monde de souffrances éternelles dans les hauteurs, comme un ciel sur terre, mais un ciel d'hôpital habité par des fiévreux et des mourants, où Habéké croisait des destins qui l'émouvaient à longueur de journée.

C'est ainsi qu'une après-midi j'ai retrouvé Habéké dans un coin tranquille de l'aile qui s'appelait le parloir, où justement il parlait avec une fille que de loin j'ai prise pour Odile, mais, quand j'ai surgi comme d'une boîte à musique, j'ai dit bonjour à une inconnue assise dans une chaise roulante, une jeune fille de notre âge qui avait l'air gentille avec ses courts cheveux tout raides et tout noirs, son sourire rose et ses pantoufles de peluche en forme de ratons laveurs, mais, quand elle a ouvert la bouche comme pour répondre, j'ai bien vu que la vie était au-dessus de ses forces.

« Elle s'appelle Nathalie », m'a dit Habéké.

Elle essayait de me dire quelque chose de tout son être, mais ses paroles mort-nées s'éteignaient quelque part entre le cœur et la bouche, sans fleurir à ses lèvres, vu l'impossible qui est français aussi, et ça m'a broyé le cœur.

Un peu plus tard, quand Habéké et moi on s'est retrouvés seuls, il m'a tout expliqué et j'ai tout su du désespoir de Nathalie qui souffrait d'une épouvantable sécheresse comme dans la lointaine Afrique mortelle d'Habéké, à cause de ce qu'il appelait des caillots, des accumulations de saloperies qui obstruaient les vaisseaux que Nathalie avait dans la tête, et ça faisait que l'irrigation normale n'existait plus et que l'anomalie intraitable la conduisait vers la mort ; comme si un harmattan de malheur, prisonnier d'elle, avait tourbillonné sans fin dans son corps en la dévastant.

« Ils disent qu'ils n'ont plus d'espoir, que c'est fini... »

Quand Habéké m'a dit ça, moi aussi ça m'a transpercé douloureusement tout le corps qui me pesait, et je ne pouvais croire que cette fille que je venais de voir et qui m'avait souri avec ses pantoufles attendait là son dernier jour, avec sa mère qui dormait même à l'hôpital, dans les odeurs de médicaments, en rêvant au diable sait quelles horreurs, avec aussi son père et son petit frère et ses grands-parents qui la visitaient tous les soirs, et j'ai compris que c'était là une vraie tragédie, une vie que je refusais de toute mon âme et de toute ma force d'homme.

« Mais on ne la laissera pas mourir, que me chuchotait Habéké, non, elle est trop jeune pour ça... »

Il avait mille fois raison, Habéké, qui disait que le cosmos avait encore besoin d'elle, et j'étais avec lui comme toujours: les médecins et les gardes-malades avaient baissé les bras, et les parents demain baisseraient les leurs, mais, nous, nous n'abandonnerions pas Nathalie au milieu de tous ces pauvres gens qui n'avaient plus d'espoir et qui dans un sens la tuaient avant son heure, vu que personne ne peut survivre longtemps dans un monde sans croyances, c'est obligé, c'est mathématique, mais Habéké et moi on croyait aux miracles et on trouverait le moyen d'arracher Nathalie à sa mort certaine pour lui redonner la vie et son éclat, où elle avait sa place avec nous dans la vie circulaire des générations. On réussirait, on en était sûrs, vu qu'on possédait tous les pouvoirs, et je voyais l'infini briller dans les yeux d'Habéké, mon seul frère qui, quand il voyait Nathalie, lui parlait sans arrêt de son Afrique bien-aimée et de tous ses êtres chers disparus, mais surtout de comment il avait réussi à ne pas mourir malgré la sécheresse de Dieu et la cruauté des hommes, car il voulait la pousser à croire à la vie et à la fertilité pour que sa tête renaisse au monde nouveau et à la beauté des rêves de l'Exil.

« Ailleurs, lui murmurait Habéké à l'oreille, toujours ailleurs... plus loin... derrière l'horizon bleu... il faut toujours se voir plus loin... s'imaginer autrement... dans un autre monde... et tu es là... là-bas... avec nous... »

C'est alors qu'Habéké m'a confié un grand secret très grave, le secret de son cœur devenu mien.

« Je lui ai promis qu'on la sauverait. »

★

Au fil des heures et des jours, l'idée de sauver la vie de Nathalie nous est devenue l'obsession de tous les instants d'existence et la plus brillante étoile de nos pensées, et chacun de notre côté, Habéké et moi, nous nous cassions la tête contre les murs pour trouver la manière. Comment tout d'abord tromper l'attention de sa pauvre mère qui vivait là nuit et jour ? Et puis comment sortir Nathalie de cet hôpital aux fenêtres grillagées, où la surveillance était éternelle ? Et même si on la sortait de là, quoi faire d'elle ensuite, perdus dans les rues ? Où l'amener ? Où la cacher ? Comment la soigner ? Les obstacles nous semblaient insurmontables, mais nous nous acharnions sur l'os comme des chiens enragés, tellement que même en classe je me voyais partir dans la lune à tout bout de champ où j'échafaudais toutes sortes de belles mécaniques bien huilées, mais, hélas, mes machinations que j'avais crues infaillibles ne tenaient pas debout très longtemps dans la dure réalité du monde. Quelque chose toujours clochait qui me mettait des bâtons dans les engrenages pour me démolir et me démoraliser.

Souvent dans ma tristesse je brûlais de m'ouvrir à Odile, de l'entraîner avec nous dans la profondeur de nos secrets où elle avait son trône auprès de Nathalie, mais devant elle je ravalais toutes mes peines et mes mystères, vu qu'il était encore trop tôt pour me révéler à elle dans ma vraie vie rêvée, mais l'heure viendrait, oui, l'heure viendrait, et il fallait avoir la sagesse d'être patient.

Finalement, malgré la difficulté pour l'homme d'être intelligent, une grande lumière éclabousserait nos vies, et c'est Habéké lui-même qui, après s'être magnifiquement creusé la cervelle, réussirait à nous cuisiner un plan tellement du tonnerre que je suis sûr que même les meilleurs bandits n'y auraient pas pensé.

« C'est extraordinaire, m'a soufflé Habéké dans le parloir un soir, tout s'arrange et les choses se mettent en place toutes seules, comme par magie, et c'est de toute beauté, en commençant par Nathalie qui veut absolument être sauvée par nous autres, elle me le crie tous les jours à travers ses yeux, elle veut qu'on l'emporte où on veut et qu'on fasse tout ce qu'on croit avec elle, et toi et moi on va l'emporter... »

J'étais ébloui comme par un soleil, le soleil d'une vie d'amie sauvée, et je voulais l'emporter dans l'Exil avec Odile et Habéké, mais il fallait que je commence par me calmer et que je sache qu'Habéké recevrait son congé de l'hôpital le lendemain, qui tombait un samedi, et que les parents de Nathalie avaient reçu la permission d'emmener leur fille à la maison une semaine plus tard, le vendredi suivant, vu que les traitements médicaux s'achevaient et qu'ensuite il faudrait attendre pour voir, et Nathalie retournerait chez elle, dans ses affaires, dans son lit et dans ses rêves, en attendant pour voir, mais pour voir quoi ? Pour voir les ténèbres de la mort tomber sur elle, c'était dit et c'était entendu, mais le plus merveilleux c'est que c'est là que nous, Habéké et moi, on apparaîtrait dans la lumière pour changer le monde.

« Sais-tu où j'ai pensé qu'on pourrait l'emporter ?
– Où ?
– À mon chalet... »

Oui, oui, plus j'y pensais et plus cette idée-là me paraissait géniale, au chalet, au bord de la douce rivière de rêve aux eaux de soie, dans ces champs si beaux et si parfumés, sous un ciel si bon.

« Mes parents l'ont tout placardé pour l'hiver, mais on n'a qu'à enlever le panneau de la porte, et puis il y a tout ce qu'il faut, là-dedans, des couvertures, des conserves, du bois pour le poêle.

– Et on va lui apporter des livres pour lire… du papier pour écrire un journal… ou des poèmes… ou peut-être des lettres à Alexandre Soljenitsyne… et il lui faudrait peut-être un chat, oui, on va lui trouver un p'tit minou…

– Mais le plus important, que m'a dit Habéké, vraiment le plus important, c'est de lui donner plein de gris-gris pour éloigner les esprits mauvais de la maladie. »

On lui laisserait les os de Mekkonen le dedjené pour que l'aïeul veille sur elle, et Habéké lui fabriquerait un beau masque par lequel viendraient sur terre les esprits apaisés qui seuls ont le pouvoir de redresser tous les déséquilibres cachés qui causent les malheurs humains ; et puis nous ferions dans tous les recoins du chalet, et même tout autour dans la campagne, dans les bosquets et les quenouilles, dans les joncs et les haies, dans les fossés et dans les arbres, la chasse aux talismans dangereux, et c'est seulement alors que Nathalie pourrait se purifier par la solitude et par la pensée, dans la lumière retrouvée des forces vitales des ancêtres, et elle guérirait pour de bon, pour toujours, et après nous l'emmènerions avec nous dans l'île d'Exil où nous unirions nos soleils à sa terre et à la terre d'Odile. Mais Habéké en attendant, avec son âme de devin-guérisseur et d'homme-médecine, voulait qu'on se lance dans la pharmacopée pour préparer à notre sœur de sang une cure miraculeuse qui ferait dissoudre tous les caillots et permettrait, comme avant quand elle était heureuse, l'irrigation de toute sa tête et de tout son corps, et qui lui redonnerait la parole, et de là la vie. Et quand enfin Nathalie serait guérie à jamais, Habéké disait qu'on la baptiserait d'un nouveau nom, pour la sortir à jamais de l'ombre du mal et signifier à tous les esprits des fléaux qu'elle avait vaincu le corps malade qu'ils lui avaient destiné, et qu'elle régnait maintenant dans un corps neuf, pur et inatteignable, comme un fétiche.

« On l'appellera Schla Maryam… »

L'Image de Marie. Ça lui irait si bien, comme une lumière dans les yeux, une joie sur le visage, un matin sur la nuit.

On rêvait du jour où Nathalie serait redevenue une puissance.

★

Le lendemain Habéké est sorti de l'hôpital avec de la pelure d'oignon sur les épaules.

« T'as vu ? qu'il m'a lancé quand il m'a vu en se dépoitraillant. De la belle peau de bébé naissant que j'ai attrapée à la pouponnière !

– Mais d'un bébé noir, que je lui ai répondu du tac au tac, parce que ça te retapisse de la bonne couleur ! »

On a ri, heureux de se retrouver à l'air libre, mais il n'y avait pas que ça à faire : on avait aussi une vie à sauver et tout un monde à changer.

Ce soir-là, j'ai soupé de pizza et de coke chez Habéké pour fêter son retour parmi moi, où monsieur et madame Godin, qui semblaient enfin avoir avalé le feu, étaient heureux et gentils, parce que l'un ne va pas sans l'autre; et dès notre sortie de table, après le jello aux framboises, on a filé en bicycle jusqu'à la bibliothèque municipale qui fermait à neuf heures, pour parcourir des encyclopédies végétales et se plonger dans des pharmacopées. On a épluché jusqu'à l'éteignoir, et puis on est revenus le lendemain avec le matin, et au bout de midi on avait découvert des décoctions à la portée de nos mains, je veux dire des feuilles de rhubarbe du diable et de chicorée sauvage qui foisonnaient dans notre géographie, partout dans les champs vagues et le long de la voie ferrée, et on a été chanceux que c'étaient des fleurs tardives d'automne, vu que dehors il faisait déjà octobre.

Dès l'après-midi on fauchait du croquia magique sous une pluie fine et on avait l'air de deux druides perdus dans les fardoches, et le lendemain dans le beau temps on récoltait des gerbes de chicorées qui n'ouvrent qu'au soleil leurs grands yeux bleus en battant des cils. Et c'est chez nous, en arrière, dans le vieux garage, que la tête en bas on a fait sécher les bottes ficelées au plafond.

Le lundi venu, dans l'autobus et à l'école, Habéké a été accueilli comme la mi-figue et le mi-raisin qu'il avait toujours été, sauf par Odile qui ne reviendrait jamais de la cérémonie du culte à Mekkonen le dedjené, sous l'œil-foudre d'Alexandre qui avait le nez tordu de jalousie, et j'avoue que ça faisait drôle de voir Habéké assis tranquille au fond de sa banquette, je veux dire pas flambant nu, pas peintur-

luré de couleurs, pas lumineux de bijoux, pas masqué
de sa fantasmagorie, pas possédé par les esprits brûlants et les aïeux dévorants dans les convulsions.
Mais il était là, comme ça, sans avoir l'air de rien,
comme en classe où il travaillait studieusement en
silence, comme moi dans le même anonyme, et s'il
n'avait pas été noir on ne l'aurait même pas remarqué contre les murs blancs de l'école, mais dans sa
tête, de même dans la mienne, ça bouillonnait de vies
secrètes et c'était tout ensoleillé d'idéaux, ce qui faisait que toutes les après-midi cette semaine-là, malgré
le soir tombant, on allait cueillir les dernières rhubar-
bes du diable et les derniers bouquets bleus, et le
jeudi soir on est allés à l'hôpital visiter Nathalie pour
voir si la vie suivait son cours. Notre amie était allongée dans son lit d'hôpital sous des néons d'hôpital,
avec de la visite d'hôpital tout autour d'elle, et on a
entrevu qu'elle nous avait entrevus dans le bâillement
de la porte, mais tout de suite on a disparu par
enchantement. On l'avait vue, toujours habitée de
cette vie qu'on lui sauverait, et on la reverrait bientôt, pas plus tard qu'avant la fin d'une nuit proche.

Le lendemain soir déjà c'était un grand soir, vu
que Nathalie sortait d'hôpital, et Habéké et moi on
avait des fourmis dans les jambes et des papillons
dans l'estomac et des tatagu kononi dans la tête.
Après souper on ne tenait plus sur pied et on s'est
évaporés en bicycle dans les ténèbres où existait la
maison de notre Nathalie, aux environs du centre
d'achats, et c'était un bungalow un peu comme chez
Odile, mais plus riche, en brique et tout, avec des
arbres rares et deux autos sombres parquées dans
l'entrée de garage, et toutes les fenêtres brillaient

joliment dans la nuit. On voyait des bouts de gens bouger à l'intérieur, des ombres qui se déplaçaient dans le salon, dans la cuisine, dans les chambres, et on sentait qu'il y avait là une vie, mais la vraie vie au cœur de cette vie, c'était Nathalie. Habéké et moi on s'est regardés, vu l'importance extrême de ce moment qui sacrait encore plus notre mariage, et dans nos yeux on a vu qu'on ne reculerait devant rien.

Ce soir-là, avant de se séparer, Habéké et moi on s'est faufilés dans le vieux garage au fond de ma cour où on a bourré son sac à dos de feuilles de chicorée séchées, et le mien de feuilles de rhubarbe du diable. On était fin prêts et on s'est dit à demain dans notre fièvre.

Plus tard dans mon lit j'ai ouvert les *Vies rêvées* de Gustave Désuet et je me suis endormi avec « Les Yeux ouverts ».

> *– Est-ce moi que tu regardes*
> *Ou ton reflet qui tremble dans mes yeux ?*
> *– Mais je ne suis ni moi ni mon tremblant reflet*
> *Car je suis toi et je suis tes yeux*
> *Je suis ton cœur sec qui jamais ne se voudra aimé*
> *Je suis tes yeux qui ne m'auront pas vu*
> *Tes yeux qui sont mers au fou qui a soif.*

★

J'ai ouvert les yeux sur la nuit qui, à mes yeux, était une lumière avant sa naissance.

J'ai ouvert les yeux et j'ai pensé que c'était un miracle, et dans ce miracle je me suis levé sur la pointe des orteils et je me suis habillé chaudement,

parce qu'il peut faire froid jusqu'au fond des miracles, puis, en traversant la cuisine en bas de l'escalier,
j'ai saisi dans le noir une banane que j'ai avalée en
filant chez Habéké qui m'attendait, assis dans l'obscurité sur le bord du trottoir. On n'a pas dit un mot,
vu l'anxiété qui nous étranglait, et on s'est mis en
chemin avec un cœur qui battait en profondeur, et
une demi-heure plus tard on était chez Nathalie.

« Chut ! que me faisait sans cesse Habéké. Pas de
bruit, chut ! »

Tout était sombre et calme dans les rues, et la
maison de Nathalie, comme les autres, semblait perdue dans un sommeil profond, et la ville était un rêve
où nous flottions.

« On y va... »

On s'est approchés comme deux loups et, quand
on s'est glissés le long de la maison, entre la haie de
cèdres et l'auto, on a vu une ombre dans le moustiquaire de la porte de côté. J'ai reconnu Nathalie qui
nous attendait dans son manteau et ses bottillons, un
bonnet de laine sur la tête. On l'a sortie sans bruit de
chez elle et on l'a entraînée doucement avec nous par
les rues, et je me souviens que je la sentais toute faible contre nous, presque sans poids, et qu'on devait
la soutenir fort, sinon elle se serait écrasée.

Heureusement, le terminus n'était pas loin, et à
sept heures nous étions tous les trois dans un autobus
régional grâce à notre argent de poche, avec une douzaine de voyageurs encore somnolents, moi assis avec
Nathalie qui avait remonté bien haut le col de son
manteau pour dissimuler son visage, et Habéké plus
loin, seul dans son coin, qui jouait à ne pas nous
connaître pour brouiller les pistes et les témoins.

Nathalie se tenait immobile auprès de moi et je me sentais frôlé par l'auréole de son être. Du coin de l'œil je la voyais, elle qui n'était plus que son souffle et ses yeux, qui regardait la campagne défiler dans la vitre sale, et je me demandais à quoi elle pouvait bien songer en s'éloignant ainsi de tout ce qu'elle connaissait et de tous ceux qu'elle aimait, et j'ai pensé qu'elle ne voulait peut-être plus nous suivre de son gré, mais qu'elle aurait préféré mourir entourée des siens plutôt que d'aller guérir loin d'eux, mais j'avais la gorge nouée sur un silence et je ne savais pas lui parler.

Trois quarts d'heure plus tard l'autobus nous a laissés à un carrefour, au pied d'une croix de chemin où un messie mourait éternellement, et le chalet n'était qu'à cinq minutes sur la gauche, alors que plus loin sur la droite, vers le village, je voyais les poutrelles noires du vieux pont ferroviaire d'où nous nous étions envolés vers le soleil un jour d'été. On a marché dans la pierraille de l'accotement et je reconnaissais les lieux malgré qu'il n'y avait presque plus de feuilles aux arbres, ce qui changeait beaucoup le visage des choses. Une méchante petite bruine glacée d'automne s'était mise à tomber en grésillant sur nos manteaux, et les chalets du bord de l'eau avaient tous l'air tristes, ainsi abandonnés pour l'hiver, et, quand on a enfilé l'allée de cailloux bleus que je connaissais, j'ai senti mon cœur se serrer au spectacle du chalet d'Habéké tout placardé sous les grands arbres nus aux branches tordues.

« On arrive, disait Habéké, encore un petit effort, c'est juste là. »

Il n'y avait plus aucune trace de Damas dans le prunier, ni de Babylone dans le saule, ni de la Perse dans le lilas, mais il restait tout partout l'immense solitude purifiante où baignait ce monde vidé.

Sur ce, on a fait asseoir Nathalie sur la margelle du puits, et, pendant que je la serrais contre moi par les épaules et que je lui frictionnais les bras pour la réchauffer, Habéké a tiré un marteau de son sac pour déclouer le panneau de la porte arrière, et c'est ainsi qu'on a enfin pu entrer dans le chalet pour se sécher.

« J'ai bien envie d'enlever aussi un panneau de fenêtre… »

Sitôt dit, sitôt fait, et une fenêtre s'est ouverte sur la rivière grise, couverte à l'infini de petites bulles à cause de la pluie qui la picotait.

À peine déchaussée de ses bottillons et dépouillée de son manteau, Nathalie s'est allongée sur le vieux divan qui sentait la souris et elle s'est tout de suite endormie. Habéké et moi on en a profité pour faire du feu dans le poêle à bois, ensuite de quoi on est ressortis sous la bruine faire la chasse aux talismans dangereux. Deux heures durant on a fouillé alentour du chalet, trifouillé toutes les haies d'arbustes et les bosquets, les fossés du chemin et les broussailles des berges où on s'était épousés, et on a même grimpé aux arbres et sur le toit du chalet, et c'est ainsi qu'on a ramassé des tessons de bouteilles et une mitaine d'enfant ; des clous rouillés et un bouton de manteau ; un rayon de roue de bicycle et la médaille d'un chien errant ; la mue d'une couleuvre et les cadavres d'une perchaude et d'un carouge à épaulettes ; des pierres incrustées de grains brillants de mauvais augure, car c'était l'or des fous ; et même un petit œuf turquoise jamais éclos dans un nid d'oiseau ; et dès qu'on est rentrés dans le chalet on a jeté au feu tous ces talismans maléfiques ; et juste après on a encore trouvé un mulot crevé dans la dépense et de la mort-aux-rats sous l'évier de la cuisine, et on a précipité tous ces petits prophètes de malheur dans les flammes.

« Et même la rhubarbe du diable il ne faut plus en parler, m'a chuchoté Habéké à l'oreille, parce qu'il y a aussi des mots qui sont des talismans dangereux, et, cette rhubarbe-là, on va maintenant toujours l'appeler de son autre nom de croquia. »

Là-dessus Nathalie a rouvert les yeux et je me suis senti tout chose, parce que tout à coup j'ai eu conscience qu'à l'heure qu'il était, ses parents avaient dû trouver son lit vide, tout là-bas, et j'ai eu mal de ce mal qu'on infligeait à ces pauvres gens, mais je songeais à leur joie de retrouver bientôt leur enfant guérie et les larmes me venaient aux yeux, et, pendant que je me bouleversais de ces pensées, Habéké avait tiré de l'eau à la pompe et l'avait mise à bouillir sur le feu pour les premières infusions magiques de chicorée sauvage et de croquia.

Pendant que l'eau chauffait, on a poussé près du poêle un grand fauteuil bien rembourré et on a installé Nathalie dedans comme une reine, bien emmitouflée jusqu'aux oreilles sous une montagne de chaudes couvertures, et je l'ai aidée à se caler sur des coussins pour qu'elle puisse admirer la rivière qui coulait dans la fenêtre, par-dessus le reflet de son visage immobile. Tu vois, que je me disais en silence, tu vois, ô Nathalie de mon silence et de mon secret, c'est comme ça que l'eau miraculeuse doit couler dans ta tête, tout doucement, comme un songe qui passe, pour t'arroser de toute sa vie, et vois, vois la sécheresse, elle s'est en allée, l'harmattan ne souffle plus et le monde renaît de sa splendeur et tu n'es plus seule dans la vie, tu as des amis, tu nous as...

Habéké de son côté avait ouvert son sac à dos et je l'ai vu déposer sur une table le morceau de crâne de Mekkonen le dedjené et toute une poignée de gris-gris, une perle de verre, une bague, une plume, une coquille d'huître, son collier de cornaline, son brace-let à pluie, des osselets, une petite croix dorée avec une anse, qui était un symbole de vie.

« Cette semaine, a dit Habéké, tu vas rien man-ger du tout, mais tu vas boire énormément, rien que des infusions pour te nettoyer de la maladie, et la chi-corée magique va purifier ton sang et l'éclaircir pour l'aider à mieux couler dans tout ton corps, et le cro-quia miraculeux va détruire tous tes caillots. »

Ensuite de quoi, Habéké a tiré de son sac un beau petit masque à ficelles qu'il avait lui-même sculpté dans un morceau de styrofoam et colorié à la peinture à l'eau, une tête d'oiseau rouge avec un bec tout noir et une huppe bleu et jaune, et c'était un tatagu kononi, le totem de fertilité qui protégerait Nathalie et attirerait dans le chalet des génies de l'air et de la pluie, mais aussi l'esprit du soleil, celui qui donne à chaque être humain la lumière et l'ombre qui peuvent soit lui servir, soit lui nuire, et c'est dans le recueillement et la prière que Nathalie apprendrait à délaisser l'obscurité pour la clarté.

« Et n'oublie jamais, qu'il disait Habéké, n'ou-blie jamais la part de la terre et des esprits, parce que la vie que tu as en toi a été prise quelque part quand tu es née, là-haut dans le cosmos où ça a fait un trou dans l'air entre les étoiles, et tous ces trous faits dans l'univers par nos vies, il faut les combler par nos dons, sinon l'univers tout rongé va s'effondrer dans un cataclysme d'étoiles et ce sera la fin du monde… »

Pour la première fois j'ai vu un sourire soulever un coin de la bouche de Nathalie qui comprenait tous ces secrets de vie qu'Habéké lui enseignait, et j'ai pensé qu'on avait bien fait de l'emmener dans ce lieu perdu, et j'ai senti, dans tout mon être, que je croyais à la vie et à sa puissance surnaturelle.

Soudain la bouilloire s'est mise à siffler sur le poêle et je suis allé chercher trois tasses dans l'armoire pour préparer les premières infusions qu'on partagerait avec Nathalie qui avait le visage blême de fatigue, mais qui souriait faiblement en nous regardant comme on regarderait naître des chiots. Sa main lasse et cireuse pendait hors des couvertures, et je voyais dans cette main un fruit du monde, le précieux fruit de l'immortalité qu'on ignore et qu'on détruit, et tout à coup je sais pas ce qui m'a pris, mais j'ai touché la main fiévreuse de Nathalie, et je l'ai caressée et l'ai doucement effleurée d'un baiser, et puis je l'ai glissée bien au chaud, sous les couvertures, et j'ai encore embrassé Nathalie sur la joue et dans les cheveux, et puis j'ai versé de l'eau bouillante dans les tasses où les feuilles médicinales tourbillonnaient comme des vaisseaux engloutis.

Tout en parcourant du regard les sombres nuages bas qui pleuvaient sur la rivière, on a bu tous les trois en silence notre espèce de thé qui goûtait l'essence des végétaux, et puis Habéké, qui pensait à ce que je pensais, s'est tourné vers Nathalie pour lui demander si elle ne voulait pas qu'on la ramène chez elle, et elle nous a dit non en hochant la tête.

On a fini de boire tranquillement nos infusions, et, quand on a déposé nos tasses sur la table, Habéké et moi on a échangé un regard désolé, vu que l'heure était venue pour nous de quitter Nathalie, de la laisser toute seule dans le chalet. Ça fait qu'on s'est levés debout sans savoir quoi dire, parce que dans le fond on aurait voulu rester, mais il fallait partir absolument, vu qu'une éclipse prolongée aurait pu faire réfléchir nos parents et nous trahir, mais on a promis à Nathalie de revenir dès le lendemain matin pour passer la journée avec elle, et elle nous a encore souri, elle nous souriait tout le temps, et on a compris qu'elle n'avait peur de rien, qu'elle savait que tous les bons esprits et les dedjené, avec les ancêtres et l'âme de l'arrière-grand-père, veilleraient sur elle paternellement. Alors on l'a embrassée et on a tout placé près d'elle, tout ce qu'elle aurait besoin, l'eau, les feuilles de chicorée et de croquia, les gris-gris, le masque, et on a piétiné encore un peu sur place et on l'a encore embrassée, et finalement on s'est tellement éternisés qu'on a dû disparaître à toutes jambes pour attraper l'autobus de justesse au village.

La dernière image que j'ai de ce jour, c'est Nathalie par la fenêtre, avec ses cheveux tout hérissés et ses petits yeux noirs brûlants, enfoncée dans le gros fauteuil moelleux près du poêle, enterrée sous les couvertures avec les gris-gris, le morceau de crâne de Mekkonen et le masque du tatagu kononi devant elle, Nathalie au visage de lumière pâle qui regarde la rivière sans bouger. Et de la route luisante de pluie où je cours avec Habéké en jetant sans arrêt de longs regards derrière moi, je revois le chalet placardé qui souffle par sa cheminée une fumée de chagrin, petit chalet seul dans la grisaille et étouffé sous les nuages de pluie, qui s'éloigne à travers le branchage des arbres et des haies d'arbrisseaux, puis qui disparaît de ma vue comme je disparais de la sienne au premier tournant de la route.

XVII

Ce soir-là, dans notre petite ville traumatisée, le bruit courait qu'une adolescente très malade avait disparu de son domicile et qu'on la recherchait partout, et je me disais que, vu sa maladie, on devait croire à un enlèvement plutôt qu'à une fugue, surtout qu'en ces cas-là jamais les parents n'ont la force d'envisager leur enfant en train de s'enlever la vie. Ils devaient donc songer à un ami de la famille, comme à l'accoutumée, ou à un voisin douteux qui pourtant n'avait rien fait, ou peut-être même à un infirmier désaxé qui avait flairé la proie dès l'hôpital, mais un enlèvement sans effraction ni violence, est-ce encore un enlèvement ?

Habéké et moi on était profondément désolés des peines qu'on causait aux pauvres gens, des douloureux mystères qu'on semait partout dans leur tête, mais ces gens-là étaient sans foi, et pas nous, et il fallait bien que des cœurs se déchirent de ce désespoir, et ce ne serait pas nos cœurs, car nos cœurs croyaient ; mais le mal ne durerait qu'un temps et bientôt la lumière éclaterait dans les ténèbres, mais on ne pouvait pas encore révéler la vérité à la face du monde, vu qu'il était encore trop tôt, que le monde n'aurait

pas compris, et qu'il fallait d'abord laisser le miracle
faire son œuvre, laisser travailler dans l'ombre et le
silence les esprits bienveillants.

Oui, il était encore beaucoup trop tôt, mais en
même temps pas tout à fait, je veux dire pas pour
tout le monde, et il y avait une personne sur la Terre
qui ce soir-là devait connaître notre illumination, oui,
une seule âme qui nous brûlait délicieusement les
yeux et qui était l'âme d'une fille adorée, et c'est ainsi
qu'Habéké et moi on s'est retrouvés encore une fois
dans la rue Lanthier qui était pour nous un petit chemin de Damas.

« Ça y est, que je me disais en marchant au côté
d'Habéké, ça y est... c'est ça... c'est arrivé... ça nous
arrive... »

On s'est immobilisés un instant devant la maison d'Odile, le temps de prendre un grand souffle
de vie et de mesurer l'instant, puis on a plongé plus
creux dans la nuit pour aller sonner à la porte de
côté, sous l'abri d'auto, et l'ampoule nue s'est allumée au-dessus de nos têtes pour nous jeter sur le visage un voile de lumière jaunâtre. L'instant d'après
Odile nous est apparue avec ses cheveux courts,
mangés par le feu où nous avions brûlé ensemble, et
ses yeux papillotants se demandaient un peu craintivement ce qu'on faisait là, à errer comme des fan-
tômes dans la nuit.

« Il faut que tu viennes avec nous autres, que j'ai
dit.

– Où ça ? Pour quoi faire ?

– On a des secrets à te révéler, qu'il a dit Habéké,
des grands secrets de nos vies. Il faut absolument que
tu nous suives. »

Elle a hésité sur le pas de sa porte, Odile, comme saisie jusqu'au cœur de nous voir si pleins de mystères, et je voyais ses grands yeux sombres qui nous dévisageaient en s'interrogeant, puis elle a fini par courber le front et par nous demander d'attendre un peu.

Cinq minutes après, Odile nous a rejoints dehors et on a marché jusqu'au bout de la rue Lanthier qui débouchait sur les ténèbres d'un parc où notre amie s'est posée sur une balançoire devant nous qu'on est restés debout devant elle.

« Qu'est-ce qu'il y a, qu'elle a demandé, qu'est-ce qui se passe, qu'est-ce que vous voulez ? »

Habéké et moi on s'est regardés, et c'est Habéké qui a parlé le premier.

« As-tu entendu parler d'une fille malade qui aurait été enlevée aujourd'hui ?… »

Le visage d'Odile a changé de couleur.

« Eh bien, c'est nous autres.

– C'est… c'est vous autres quoi ?…

– C'est nous autres qu'on l'a emportée. »

À ces mots-là d'Habéké, Odile a éclaté de rire et hoché la tête dans tous les sens, et, comme je voyais bien qu'elle ne voulait pas nous croire, j'ai parlé à mon tour.

« C'est vrai que c'est nous autres, que j'ai dit, je te le jure sur la tête de mon petit frère et de ma petite sœur, et elle s'appelle Nathalie cette fille-là, et c'est notre amie et c'est Habéké qui l'a connue à l'hôpital, mais c'est pas ce que tu penses, on l'a pas enlevée de force, on l'a juste aidée à marcher à côté de nous autres et on l'a juste guidée là où elle-même voulait aller, et à soir elle va bien, elle est en train de guérir dans une cachette où personne ne peut la retrouver… »

Odile paraissait glacée d'épouvante sur sa balançoire, avec la bouche complètement béante et les
yeux fixes, et soudain elle a murmuré :

« J'vous crois pas.

– Crois-nous pas si tu veux, qu'a dit Habéké,
mais c'est la vérité vraie, mais il faut surtout pas
pleurer, non, il faut sourire, il faut être heureux,
parce que c'est une bonne nouvelle, c'est une chose
merveilleuse, parce qu'on est en train de te parler de
sa renaissance. »

Le sourire de la renaissance merveilleuse a été la
goutte de trop pour Odile qui est sortie de ses gonds
pour nous traiter de fous et nous jeter de la foudre
noire par les yeux, pour nous crier qu'il fallait être
malade pour inventer des histoires pareilles et qu'on
n'avait pas le droit de profiter des malheurs des
autres pour essayer de vendre sa salade et de se rendre intéressants, et je pense que là, à ce moment-là,
on l'a secouée jusqu'à l'âme, Odile, en lui demandant
de nous accompagner le lendemain matin, à sept heures au terminus, pour qu'on l'emmène avec nous jusqu'à la lumière où elle verrait la vérité de ses propres
yeux, où surtout elle comprendrait le bien que nous
faisions dans l'ombre et le silence, aidés des forces
vitales de l'aïeul et des dedjené, et de tous les bons
génies de l'atmosphère et de la sphère des rêves
d'Ityopya.

Là-dessus la bouillante Odile écœurée s'est levée
brusquement de la balançoire dans un bruit de chaîne
pour filer chez elle à grandes enjambées, ça fait qu'Habéké et moi on s'est lancés sur ses talons, et on lui
criait, Habéké dans une oreille et moi dans l'autre, on
lui criait qu'on avait besoin d'elle pour vivre, d'elle

aussi avec Nathalie pour aller refaire le monde dans l'île d'Exil, pour quitter nos pauvres existences empoisonnées apparues dans l'Accident, nos tristes vies détruites par la haine, par le désespoir et l'hypocrisie de l'ère adulte, et aller fonder ensemble, tous les quatre, un peuple neuf et plein d'espoir de l'autre côté des choses, vu qu'en trouvant Nathalie on avait enfin trouvé l'équilibre, le pilier manquant de notre ciel, l'étoile manquante de notre constellation, et c'est alors qu'Habéké a saisi rudement Odile par le bras pour la forcer à s'arrêter un instant, et sur l'asphalte avec une roche il a tracé un signe que je n'avais jamais vu, une sorte de *r* surmonté d'un tréma, et il a dit que c'était le chiffre trois chez les visages brûlés, et que c'était un chiffre maléfique, comme un chiffre invalide qui voulait toucher le ciel et l'immortalité sans avoir d'abord conquis et purifié la terre, et que c'était le chiffre de l'erreur des hommes et de la fin du monde, le talisman dangereux caché dans les nombres par l'esprit des fléaux, et qu'avant Nathalie nous étions trois et encore maudits, mais que nous étions quatre désormais, et désormais sauvés et capables enfin d'aller donner la vie, d'aller créer l'univers de nos songes, et c'est alors qu'Habéké a tracé sur l'asphalte le chiffre quatre des visages brûlés d'Ityopya, et moi aussi ça m'a ébranlé, et pas seulement Odile, mais moi aussi j'ai senti mes jambes faiblir quand j'ai vu le chiffre quatre des figures brûlées, le chiffre parfait caché dans l'infini par les totems et par les esprits de l'exaucement des rêves ; quatre, qui, avec le hasard, est l'autre nombre de Dieu.

Chez les figures brûlées d'Ityopya, le chiffre quatre s'écrit : ô.

XVIII

Le dimanche matin, dans l'aurore incertaine qui refusait de naître sur la ville pour chasser la noirceur, Habéké et moi on a cru entrer dans un rêve en entrant dans le terminus : Odile nous attendait là, assise le dos raide sur un banc de bois, avec ses yeux cernés et son visage qui n'avait pas dormi, et quand elle nous a aperçus elle a baissé la tête. Habéké, qui avait volé de l'argent dans le portefeuille de ses parents, a acheté trois billets au guichet, ensuite de quoi on s'est approchés d'Odile qui nous a tout de suite dit, en arrachant son billet des mains d'Habéké, qu'elle ne voulait pas nous parler.

On l'a laissée fermenter dans sa colère et on est allés s'asseoir à l'autre bout du terminus, près des distributrices de coke et de friandises, dans la lumière froide des néons, et, quand un peu plus tard on a embarqué dans l'autobus, Odile s'est glissée dans la première banquette près du chauffeur, tandis qu'Habéké et moi on s'est enfoncés jusqu'à l'arrière, où mon ami s'est endormi dès le départ contre la vitre, dans le ronron du moteur qui puait l'essence, et moi je suis resté bien éveillé, à observer de loin la tête immobile d'Odile, sa pauvre tête pleine d'incertitudes qui devaient lui cogner les tempes. Je comprenais qu'elle ne nous croyait toujours pas et qu'elle nous accompagnait seulement pour en avoir le cœur net, pour mesurer de ses propres yeux jusqu'où nous pouvions aller dans le mensonge et la cruauté, mais je ne craignais rien et j'avais hâte de la voir tomber à genoux, notre Odile, quand elle verrait qu'elle s'était trompée, quand elle découvrirait enfin notre monde de vérité et de douceur.

Ensuite je crois m'être assoupi dans les vapeurs de pétrole et j'ai rouvert les yeux un peu avant le village où j'ai secoué Habéké.

« Habéké, réveille-toi ! On est quasiment rendus ! »

Quand Odile nous a entendus arriver dans l'allée, elle a rapaillé ses affaires et s'est levée à son tour, et c'est ainsi que nous sommes descendus au même carrefour que la veille, au pied de la même croix de chemin où souffrait le même pauvre Christ.

Debout tous les trois dans la caillasse du bord de la route, on a regardé l'autobus s'éloigner dans un nuage de poussière et de gaz, puis Habéké et moi on s'est mis en chemin sans dire un mot, et Odile, toujours muette elle aussi, nous a laissés prendre de l'avance avant de nous emboîter le pas. On la sentait dans notre dos comme une ombre, quasiment comme une menace ou une mauvaise conscience, et on l'entendait cheminer dans les cailloux de son pas traînant, quand tout à coup, à un tournant, le chalet au loin est apparu à travers une grande épaisseur de branchages tout dénudés. On s'est mis à marcher plus vite avec le cœur qui nous sautait dans la poitrine, et, quand on a vu que la cheminée ne crachait plus de fumée, on est partis à courir comme des fous. Je me souviens que dans ma galopade je voyais le paysage qui se disloquait, et le chalet qui palpitait devant moi, secoué dans un tremblement de monde, comme s'il tombait en morceaux, et dans ma peur j'ai pressenti le pire, mais, quand on a surgi par la porte arrière, on est tombés sur Nathalie qui depuis la veille ne semblait pas avoir bougé d'un cil. Elle était là, les yeux ouverts, toujours étalée dans son fauteuil, sous les épaisses couvertures qui la noyaient dans la laine, et on s'est approchés d'elle tout doucement mais en soufflant fort, comme on s'approche d'une idole, et sa tête fatiguée a un peu roulé pour nous montrer son sourire. On s'est agenouillés pour lui demander comment elle allait et pour lui murmurer des gentillesses, pour lui toucher le visage et les mains, et elle était toute chaude et frissonnante, mais elle souriait et ses yeux nous disaient sa joie de nous revoir. Quand je me suis relevé pour aller tirer de l'eau fraîche au puits, j'ai vu Odile appuyée contre le cadre de porte, et je ne sais trop ce qui lui mangeait le visage, peut-être la rage, peut-être le dégoût, en tout cas Odile n'a pas pu supporter cette vision fulgurante et je l'ai vue se détourner pour se sauver dans la campagne.

« Laisse-la faire, qu'a dit Habéké, laisse-la courir un peu pour se fatiguer, et après ça elle va revenir. »

Il avait raison, Habéké, et une demi-heure plus tard, alors qu'un feu nouveau chauffait le poêle et que nous faisions boire à Nathalie une nouvelle infusion de feuilles magiques, Odile est réapparue avec sa face blanche de fantôme et ses yeux féroces.

« Ça se peut pas ! qu'elle nous a lancé en entrant dans le chalet en coup de vent, ç'a pas de bon sens, vous pouvez pas faire ça, c'est impossible, vous vous rendez pas compte!... »

Elle a renversé une vieille lampe d'un coup de poing et je revois rouler sur le plancher l'abat-jour à franges, et dans le même élan tourbillonnant Odile est ressortie dehors où on la voyait tournicoter en donnant des coups de pied dans la margelle du puits, en hochant la tête sans arrêt et en fulminant les bras au ciel. Sur quoi elle s'est ramenée dans le chalet en furie pour nous frapper et nous bousculer, Habéké et moi, et pour nous insulter.

« Vous êtes des malades! Vous allez la tuer! Vous êtes fous! »

La foi tardait à lui venir au cœur, mais on essayait de la raisonner, de lui parler calmement et de tout lui expliquer encore une fois, mais elle ne voulait rien entendre et elle s'est encore enfuie. La pauvre Nathalie, quant à elle, supportait mal tous ces cris affolants et cette agitation, et je la voyais froncer le visage et se frotter les tempes.

« O. K., que j'ai dit à Habéké, je vais aller lui parler, attendez-moi. »

Et je suis sorti retrouver Odile qui s'était assise dans l'herbe, un peu plus loin, adossée au hangar de bois, et qui tremblait de colère.

« Approche pas, maudit malade! »

Je me suis approché quand même en lui disant qu'elle se trompait et qu'elle ne savait pas voir la vérité.

« La vérité, qu'elle m'a encore dit, c'est que vous allez la tuer!

– Et si on la ramène chez elle, qu'est-ce que tu penses qu'ils vont faire ?

– Je sais pas, moi, ils vont la soigner, ils vont…
ils vont… »

Odile s'était mise à sangloter, le visage enfoui
dans les mains, le front appuyé contre ses genoux
ramenés sur la poitrine.

« Non, que j'ai dit, ils vont pas la soigner pantoute, mais ils vont la laisser mourir sans rien faire,
parce qu'ils n'ont plus d'espoir, ils attendent juste
qu'elle crève parce que pour eux c'est fini, tandis que
nous autres on va la sauver, on a des potions miraculeuses, on a toute la magie des ancêtres et des dedjené, et on a tout nettoyé les alentours de tous les
talismans dangereux, et les bons esprits de la pluie et
de la fertilité vont chasser les mauvais esprits de la
maladie et des fléaux… »

J'ai continué longtemps à lui parler comme ça, à
Odile, pour lui apprendre à voir la réalité cachée derrière les choses de son univers, à voir le monde supérieur qui enveloppe le nôtre comme une couronne de
gloire, et je ne sais pas ce qu'elle en pensait, vu qu'elle
ne me répondait rien et qu'elle ne me regardait même
pas, mais je sais qu'à la fin elle a eu l'air de se tran-
quilliser un peu quand je lui ai demandé de nous
accorder une semaine pour faire nos preuves, et que,
si Nathalie n'était pas miraculée au bout de cette
semaine-là, je promettais qu'Habéké et moi on la
ramènerait chez ses parents.

Odile a quand même continué à pleurer et à se
cacher le visage, et moi quand j'ai vu ça j'ai décidé de
rentrer auprès de Nathalie et d'Habéké où il y avait
tant à faire, en espérant qu'Odile finirait par enfin
nous y rejoindre, mais c'est qu'elle avait la tête dure,
Odile, et elle a passé l'après-midi dehors à faire les

cent pas autour du chalet, à lancer des cailloux dans la rivière, à se parler à elle-même et à tourner le visage vers le ciel, et Habéké et moi on a fini par se dire qu'au fond elle avait sans doute besoin de beaucoup de temps pour ruminer tout ce monde incroyable qu'elle découvrait à notre contact. Et, pendant qu'Odile apprivoisait peu à peu cet univers où nous voulions l'emmener avec nous, nous nous occupions de Nathalie dans le chalet. Je me souviens que nous avons passé la journée à lui parler doucement, à lui raconter des histoires fabuleuses et des légendes mythologiques complètement loufoques qu'on inventait au fur et à mesure pour la faire sourire, et puis de temps en temps l'un de nous tisonnait le feu et préparait des infusions miraculeuses, et toutes les heures on faisait tiédir sur le poêle un chaudron d'eau où macéraient des feuilles de croquia et de chicorée, et avec cette essence bienfaisante on lavait délicatement Nathalie, on lui passait une débarbouillette sur le front, le visage, les épaules, les bras, la gorge, et puis sur les jambes, les pieds, et on lui massait les mains et le cuir chevelu, et elle s'assoupissait sous nos caresses.

À un moment donné, de gros nuages noirs sont passés qui ont plu sur le chalet et on a bien pensé que cette fois-ci Odile nous rejoindrait, mais non, elle est restée dehors à grelotter sous la pluie, mal abritée sous l'étroite corniche du hangar. Et puis les heures se sont envolées et bientôt il nous a fallu nous préparer à partir, et on a empilé des petites bûches près du poêle, on a cordé des bouteilles d'eau le long du mur, on a édifié toute une pyramide de conserves sur la table au cas où Nathalie aurait vraiment trop faim, et puis on l'a bien bordée comme si elle avait été dans un lit, on lui a mis une montagne de couvertures et de coussins à portée de la main, sans oublier les poches de feuilles curatives, les gris-gris et le bout de crâne de Mekkonen le dedjené.

« On va revenir, qu'on lui disait, aie pas peur, tout va bien aller, on va penser à toi de toutes nos forces, on va revenir... »

Et on n'attendrait pas au samedi pour ce faire, vu qu'on avait prévu que je reviendrais le mardi, et Habéké le jeudi, et qu'on s'arrangerait avec les sanctions scolaires et les punitions de nos parents.

« Deux nuits c'est rien, que j'ai dit tout bas à Nathalie, quand on dort on les voit pas, et ça veut dire qu'il reste juste une journée, la journée de demain, et une journée c'est rien, c'est comme ouvrir les yeux et les fermer, et c'est comme si j'étais déjà revenu, que j'étais jamais parti... »

Nathalie souriait aux anges et on a retardé notre départ pour l'embrasser encore un peu, et, quand finalement on a vraiment dû la quitter, quand on a refermé la porte sur son visage, j'avais le cœur rempli de chaleur et de joie, et j'étais heureux de vivre et de marcher dans la campagne au côté d'Habéké, et déjà je me mourais d'envie d'être mardi matin et de revenir auprès de Nathalie dans ce chalet si doux où ça sentait si bon le feu de bois et l'essence des plantes magiques.

Odile avait surgi des buissons comme une voleuse de grand chemin, mais elle nous suivait de loin sur la route, et, quand au village on est montés dans l'autobus, elle s'est assise juste derrière le chauffeur, avec une vieille dame, et Habéké et moi on est allés vers le fond où on a dû se séparer, vu qu'il ne restait plus que cinq ou six places libres. Je me suis retrouvé à côté d'un gros homme qui débordait sur mon siège et qui m'écrasait contre l'accoudoir, mais qui semblait très heureux et qui lisait un livre savant sur l'astronomie, et qui m'a tout expliqué l'expérience du baron Eötvös de Budapest pour prouver la rotation de la Terre, et il m'a parlé de la comète de Kohoutek qu'on verrait dans notre firmament l'hiver prochain.

Quand on est arrivés au terminus, Habéké et moi on est descendus d'autobus après Odile, vu les passagers devant nous qui bloquaient le passage, et on a dû lui courir après dans la rue.

« Juste une semaine, que je lui ai dit en la rattrapant, c'est une promesse, juste une semaine.

– Tu vas voir, qu'a dit Habéké, tu vas voir que dans une semaine, Nathalie ne sera plus la même fille, parce qu'elle va avoir reçu la vie nouvelle et qu'elle s'appellera Schla Maryam. »

Odile marchait toute raide comme une riche, les oreilles comme crevées.

« Schla Maryam ! que lui a crié Habéké de loin après l'avoir laissée filer. Schla Maryam, oublie pas, Schla Maryam !... »

XIX

Le lundi matin, Odile était là sur le coin de rue, à l'arrêt de notre autobus de ramassage, mais on aurait dit un fantôme qui avait la mort sur le visage et du poison dans les yeux. Habéké et moi on a essayé de l'approcher tout doucement pour lui parler, pour lui demander ce qui ne tournait pas rond, mais Odile nous fuyait pour trouver refuge dans le dos d'Alexandre qui a fini par nous dire de la laisser tranquille, qu'il ne savait pas ce qu'on lui avait fait, mais que, si on continuait à l'achaler, lui et ses copains nous sacreraient une maudite volée et nous démoliraient le portrait.

L'autobus jaune est apparu et Habéké et moi on est montés s'asseoir derrière le chauffeur, tandis qu'Odile s'est dirigée à l'arrière avec Alexandre et ses amis.

« Qu'est-ce qui se passe ? que j'ai soufflé à Habéké. Penses-tu qu'Odile…

– Non, qu'il m'a interrompu, elle dira rien, je le sais. C'est juste que c'est très difficile pour elle de découvrir des nouvelles vérités, mais elle parlera pas, tu vas voir, fais-moi confiance, elle est de notre côté mais elle le sait pas encore vraiment, mais ça va venir, tu vas voir, elle va finir par tout comprendre et par nous rejoindre... »

À notre arrivée à l'école polyvalente, on a vu Odile disparaître dans la cohue des casiers, et puis Habéké m'a encore dit de lui faire confiance et il m'a entraîné jusqu'à notre casier à nous, où nous avons accroché nos manteaux et pris nos manuels. Je me suis alors aperçu que mes mains tremblaient et j'ai compris que j'étais hanté par Nathalie et que je n'aurais pas dû me trouver à l'école ce matin-là, cette école qui m'étouffait et me tuait à des années-lumière de mon univers secret, mais que j'aurais dû être là-bas, au loin, derrière l'horizon, à vivre ma vraie vie rêvée dans le petit chalet placardé, sous les branches nues au bord de la rivière de vie, à embrasser les cheveux parfumés et à caresser la main douce d'un amour.

★

Il était onze heures et toute la classe travaillait sur des exercices de mathématiques assez épicés, et je voyais du coin de l'œil Habéké assis à son pupitre le long du mur, Habéké qui avait l'air de calculer fort dans sa tête, tandis que moi je n'étais plus dans les livres avec mes camarades, j'avais quitté le royaume des équations pour prendre le ciel pur où je flottais, et d'où je voyais, tout en bas sur la terre d'automne, le petit chalet gris qui fumait entre les nuages et les arbres, près du ruban sombre et tout plié de la rivière, et je me disais ô Nathalie, ô Nathalie de ma solitude et de ma tristesse, que fais-tu donc en cet instant où je pense à toi ?...

★

Soudain la porte de la classe s'est ouverte brusquement, à l'étonnement même de notre professeur de mathématiques qui a sursauté, et on a tous reconnu monsieur Mafouz, le directeur, un grand et gros Égyptien qui nous impressionnait, qui n'avait qu'un pied dans la classe et qui balayait les élèves de son regard noir, et, quand ses yeux sont tombés sur Habéké, il l'a foudroyé salement en lui faisant signe de le suivre immédiatement. Habéké n'a même pas pris le temps de ramasser ses affaires et s'est levé, sans avoir la force de me regarder, et, quand je l'ai vu disparaître en passant la porte, j'ai compris qu'il avait franchi le seuil d'un univers d'où il ne reviendrait pas.

Tout le reste est un rêve de mort où le monde s'effondre.

Dans le bureau de monsieur Mafouz se trouvait Odile en pleurs, et, dès qu'Habéké l'a aperçue, il a tout avoué, tout de suite, il a dit qu'Odile n'avait pas menti et que Nathalie se trouvait bel et bien à son chalet, et monsieur Mafouz s'est rué sur son téléphone et bientôt deux policiers rappliquaient à l'école avec monsieur et madame Godin en sanglots, et les ambulanciers retrouvaient Nathalie au chalet avec ses parents et d'autres policiers qui n'en croyaient pas leurs yeux, et dans le journal cette semaine-là il y aurait d'immenses titres sensationnels, et toute notre petite ville bouleversée ne parlerait que de cet événement insensé, que de cette pauvre enfant malade, kidnappée par cet adolescent déséquilibré qui volait jusqu'à l'argent de ses parents adoptifs, et dont tous se rappelaient les penchants pour la sorcellerie, la magie noire et le satanisme.

Moi, paralysé dans mon silence et dans mon existence catastrophique, je m'attendais à ce qu'on vienne m'accrocher par le fond de culotte pour me jeter à fond de cave, ou peut-être pour me pendre ou me fusiller, mais non, personne n'est venu me passer les menottes, vu qu'Habéké avait juré avoir tout fait tout seul, et vu qu'Odile n'avait rien voulu dire de plus, je sais pas pourquoi.

La semaine d'après, on expédiait Habéké pour une année dans une sorte de maison de redressement qu'on appelle un centre de réadaptation pour jeunes en difficulté, et c'est là qu'Habéké en difficulté se ferait réadapter, lui qui avait déjà été adapté une fois, et je me suis demandé s'il survivrait à cette avalanche de redressements supplémentaires.

Et moi tout assommé, tout vidé de mon sang et de ma vie, tout tué dans mes nuits comme mes rêves et mes amis d'infortune, j'ai compris que j'errerais à travers les choses du monde comme l'ombre de moi-même.

En octobre de cette année-là, je suis devenu la nuit.

XX

Comme je ne sais pas trop par quel bout commencer, je vais commencer par le commencement, et le commencement commence par la fin du monde.

Oui, l'apocalypse avait commencé et se poursuivait tranquillement sous les yeux crevés des passants, exactement comme l'avait prophétisé Gustave Désuet, et moi j'étais la nuit, mais je n'étais pas seul dans mes ténèbres, où Odile, Nathalie et Habéké dégringolaient en silence dans l'infini, jusqu'au fond de moi, jusqu'où je ne me connais plus.

J'ai tout oublié des premières heures de la fin du monde, et puis peu à peu, avec les jours nouveaux qui s'entêtaient à m'éblouir de leur mauvaise lumière, je revois des visages émerger de la nuit, et je vois un faible soleil d'automne se lever un matin dans mes rideaux, et tout à coup je regarde quelque chose qui bouge devant moi, sous mes yeux, et je vois que ce sont mes mains qui écrivent. C'est une lettre. Une lettre destinée à Habéké, où je lui dis que tout est détruit, que le ciel s'est fendu comme un cristal et s'est effondré en milliards d'étoiles éteintes.

Et je reviens à la vie, mais à une vie sans cris et sans pureté, à peine une existence normale, tranquille comme la fin des choses, où rien ne bouge, où rien n'éclaire les jours et n'éclipse le soleil commun de tous les hommes qui ne veulent rien de plus que ce qui les fait vivre au ras des pissenlits.

Et puis, un bon jour de cette nouvelle vie, j'ai brûlé des livres.

Cher Habéké,

Voilà, c'est fait: j'ai mis le feu à mes deux Gustave Désuet parce que je commençais à trop bien comprendre ses poèmes. J'ai pensé à toi et moi, à nous deux à travers les flammes, et ça m'a fait mal au cœur, mais c'est la vie, comme on dit quand on sent que ça nous étrangle et qu'on va tourner de l'œil...

J'ai vu que ça brûle mal, le passé, et les souvenirs itou, vu qu'il en reste toujours des débris, même après, quand le feu a tout mangé, il en reste toujours quelque chose comme une douleur secrète, de l'invisible qui ne brûlera jamais.

Les fleurs ferment
comme des magasins de couleurs,
et la nuit tombe sur le ruisseau
où mon cœur se sauve,
et le voici qui suit
la course de l'eau vive,
cette eau glacée qui,
pressée d'aller mourir,
emporte avec les feuilles
l'espoir de rajeunir.

Adieu à toi, ô Désuet Gustave de mon silence et de mon secret, ô toi mon maudit bâtard de poète ! Tu m'as éduqué comme seul un vrai homme pouvait le faire, et pour te remercier je t'ai tué, mais au fond tu es éternel et tu le sais bien, mon p'tit saint-simoniaque d'enfant d'chienne, et tous tes poèmes sont tatoués sur le dedans de mes paupières, et pour te tuer vraiment il faudrait que je me tue, ou qu'on me tue, mais personne ne m'aime assez pour me tuer, et je les comprends, vu que moi-même je ne m'aime pas assez pour ça.

C'est en forgeant qu'on devient forgeron
C'est en espérant qu'on devient désespéré
C'est en aimant qu'on devient assassin

C'est le dernier poème de Gustave Désuet, le dernier qu'il a écrit et celui qui termine le dernier livre de sa vie, ses pauvres *Vies rêvées* qui moisissaient aux puces ; ensuite de quoi, le triste Gustave Désuet est allé achever sa vie dans une grande réponse au bout d'une corde, cette réponse qu'il a criée au monde : assassin de soi-même. C'était sa réponse à lui, mais j'en connais une autre.

Cher Habéké,

On dirait que j'essaie encore de vivre, et j'ai encore mes yeux pour voir, et je fais comme si tu étais là, vivant, à côté de moi, et je balbutie et je bredouille et je fais mon comique, comme avant, mais je me sens si seul...

Et puis un jour ç'a été l'halloween et il y a eu un bal costumé à l'école, le vendredi soir, et je voulais pas y aller parce que je vivais encore dans la noirceur, mais j'y suis allé comme dans un rêve, pour me transfigurer. Je me suis déguisé dans les toilettes de la polyvalente, juste avant la fête, et pour ce faire je me suis mis tout nu, sauf un caleçon, et quand j'ai pénétré dans la salle de bal, c'est-à-dire dans la cafétéria décorée, tout le monde s'est arrêté de vivre dans un silence universel pour me dévorer des yeux. C'est que j'étais quasiment à poil, la peau toute noircie des orteils jusqu'aux oreilles par du cirage à chaussures, et j'avais une pelle sur l'épaule et une pipe à la bouche, vu que j'étais Mekkonen le dedjené. Hélas, Odile n'est pas venue à la fête et ça m'a beaucoup affecté, vu que j'avais fait tout ça uniquement pour l'impressionner, mais j'ai oublié si c'était par amour ou par haine, et je me souviens qu'à un moment donné j'ai quitté la cafétéria pour errer dans les corridors vides et sombres de l'école, nu-pieds et en caleçon, torse nu, noir comme un Noir, avec ma pelle et ma pipe, et que je chantais à tue-tête des complaintes dans un amharique inventé, et, quand je suis tombé nez à nez avec le concierge à un tournant du deuxième étage, il a eu si peur qu'il m'a cédé le passage sans dire un mot et j'ai pu continuer à dériver dans la pénombre en délirant, à travers toute l'école.

Le lendemain soir c'était la vraie halloween, je veux dire l'halloween de la rue, avec les petits monstres partout dans la ville et les bonbons dans le portique de toutes les maisons. Ce soir-là je suis sorti avec Jérôme et Benoît qui me savaient triste et voulaient m'égayer parce que c'étaient des vrais copains.

Jérôme s'était déguisé en Thor, avec le marteau de la foudre et du tonnerre, la cape rouge de la puissance et le casque ailé des tornades; et Benoît, en dent cariée, avec le corps et les bras comme les racines d'une molaire, et sur la tête un casque de football repeint blanc, la couronne d'émail, avec une tache noire sur le dessus, la carie, et Benoît se lamentait sans cesse de douleur et les gens lui donnaient des bonbons en riant, et Benoît, comme les plus jeunes, trimbalait une tirelire de carton pour collecter des sous pour l'Unicef, mais il disait:

« Je leur laisse une dernière chance, mais, s'il y a encore des famines l'an prochain, moi je descends à New York avec une carabine pour les forcer à bouger leurs viandes. »

Quant à moi, eh bien les gens se demandaient bien où je voulais en venir avec ma barbe de laine en collier, mes cheveux lissés par en arrière avec du gel, mes yeux pochés, mon veston et ma cravate, et un stylo à la main; et j'ai laissé planer le mystère jusque chez monsieur Charbonneau, le professeur de français.

« En quoi t'es déguisé, toi? »

Je lui ai tendu une carte de visite que j'avais bricolée en trois secondes à la maison, et monsieur Charbonneau l'a lue et s'est écrié:

« Alexandre Isaievitch Soljenitsyne!

– Lui-même. »

Il n'en revenait tellement pas, monsieur Charbonneau, qu'il a appelé sa femme à plein gosier.

« Claudette! Apporte-moi le kodak! Y en a un qui s'est déguisé en Soljenitsyne! »

Le professeur de français était si impressionné, et il voulait tellement me faire plaisir, que je l'ai vu aller farfouiller dans sa bibliothèque pour en revenir avec un livre de Soljenitsyne.

« Tiens, qu'il m'a dit, c'est un cadeau. »

Le flash de l'appareil photo m'a aveuglé au moment où je lisais le titre : *Une journée d'Ivan Denissovitch.*

Ce soir-là dans ma chambre, j'ai dévoré le roman en quelques heures, mon premier livre d'Alexandre Soljenitsyne, et même si j'ai pas tout compris, vu que c'était un roman d'homme beaucoup plus vieux et plus intelligent que moi, et qu'en plus ç'avait été tout récrit très en français par un traducteur de Paris, j'ai quand même compris la vie tragique du détenu CH-854 de la brigade 104, dans un camp de travail spécial de Russie, dans l'hiver de 1951, et chaque page me ramenait malgré moi à mon ami Habéké, que j'imaginais comme une sorte d'Ivan Denissovitch nègre, perdu au bout d'un monde glacial, derrière des rouleaux de fils barbelés et des miradors, sous les mitraillettes des gardes brutaux, dans son camp de redressement.

> *Ayant déjeuné froid et sans pain, Choukhov était resté sur sa faim. Histoire que l'estomac ne tiraille pas trop et lui corne moins aux oreilles, il essaya de ne plus penser au camp, mais à la lettre qu'il allait écrire…*

Je me souviens que, cette nuit-là, cette nuit d'halloween, une première neige est tombée sur notre ville comme un vinaigre sur nos plaies.

Cher Habéké,

Je t'écris parce que je viens de lire un livre de Soljenitsyne, où tu étais tout partout dans les pages, dans la misère d'Ivan Denissovitch, et j'ai peur pour toi parce que c'est écrit qu'il y en a qui ont la bouche saine et d'autres qui l'ont pourrie, et qu'à chien battu, montrer le fouet suffit, et que, si tu te plains, on te cassera les reins, et que la lune est le soleil du loup, et que le...

Le stylo m'a glissé des doigts et ce que je vois ensuite dans mon endormissement, c'est moi qui glisse sur une mer fumante, sur mon lit qui est un vaisseau où mes draps sont les voiles, et je sens le vent froid qui me coupe le visage et les doigts, qui me soulève et me pousse dans la nuit par la fenêtre ouverte, et je sens mon pyjama tout gonflé de vent glacé, et au large du monde les vagues me secouent, et je survole le jardin saupoudré avant de dériver vers la rue, dans la nuit hantée, où des petits monstres laissent sur le trottoir blanc la dentelle de leurs traces, et on dirait un ballet d'écrevisses sur le sable, et je vogue au ciel de neige, entre les lampadaires, avec sous mon lit des milliers de petits poissons brillants qui me suivent en gobant les miettes de biscuits qui tombent de mes couvertures, et au loin, à travers l'eau claire, je reconnais Odile, comme un point dans la neige, Odile emportée par des ombres, et je crie vers elle dans la nuit, mais mes hurlements se noient dans l'océan, et pourtant je l'appelle encore, mais les vents contraires me perdent dans l'infini où mon vaisseau éclate et où je meurs gelé sur le cadavre blanc du grand rêve de ma vie.

★

En novembre Odile a eu seize ans, l'âge qu'elle attendait impatiemment, et elle a enfin pu disparaître par enchantement, dans un grand pouf! d'étincelles et de fumée de perlimpinpin; elle a abandonné l'école où de toute façon elle ne venait plus qu'un jour sur deux. Mais elle n'a pas quitté que l'école, mais aussi son chez-elle et sa vieille vie, vu qu'elle avait découvert quelque chose comme l'amour avec un malpropre, et Alexandre et moi ça nous a fendu le cœur, vu que c'était pas nous le malpropre, et Odile s'est envolée sans laisser d'adresse, mais j'ai réussi, un jour, grâce à un peu de torture sur la personne de Marie-France Bastien, à connaître le lieu de ses secrets tout neufs. J'y allais souvent en bicycle, le soir ou la nuit, quand il faisait pas trop froid ou qu'il n'y avait pas trop de neige dans les rues, mais c'était assez loin vers le sud, au bord du fleuve, et Odile vivait là, dans une rue de terre défoncée qui se perdait dans un champ éternellement battu par les vents, où ne se dressaient que quelques grands ormes malades, et Odile habitait une pauvre maison mobile beige isolée, avec son malpropre qui avait vingt et un ans et qui ne faisait rien de ses jours.

« Envoie-moi sa photo », que m'a un jour écrit Habéké, vu que j'avais toujours gardé le petit portrait qu'Odile nous avait prêté la fois de notre voyage dans les hauts mondes d'Ityopya. Il était extraordinaire, mon fou d'Habéké: il aimait toujours autant notre Odile de nos silences et de nos secrets. Il ne lui en voulait de rien, vu que c'était une faiblesse humaine, qu'il disait, et qu'il respectait beaucoup la faiblesse des hommes, et celle des femmes d'autant plus, et, dans l'éloignement infini de son école de redressement, Habéké croyait toujours aux miracles qui sauveraient Nathalie, et il rêvait plus que jamais de notre Exil, il y songeait jusqu'à en perdre la tête, du matin au soir et du soir au matin, et il voyait rayonner, au bout des mers lointaines, un immense soleil sur les flots, qui était toute l'Afrique de sa vie ; et dans l'île de sa folie vivaient sa petite sœur, Tana, et son père et sa mère, et ses grands-parents et son clan, tous vivants, et jusqu'à Mekkonen le dedjené ressuscité, parmi tous les bons esprits et les totems, et Habéké m'écrivait des lettres pleines de feu qui me brûlaient les doigts et les yeux, et j'ai vu que personne ne pourra jamais enfermer des Afriques de flammes.

On ne peut pas enfermer un ciel : c'est le ciel qui vous enferme et vous tue.

Cher Habéké,

Je ne sais pas si c'est vrai, mais j'ai entendu dire que, du haut du grand pont, celui qui traverse le fleuve près d'où vit Odile, mais vraiment du plus haut du pont, par temps clair et lumineux, on peut voir au loin, au milieu du fleuve, mais vraiment très loin à l'horizon, un petit point bleu qui est une île déserte, paraît-il...

Et puis l'hiver est arrivé, et une nuit une flamme fantastique s'est allumée au firmament. C'était la comète de Kohoutek, et Habéké m'a écrit que, le soir, du fond de son lit froid placé près d'une fenêtre, il s'épouvantait de ce grand feu filant qui semblait féconder le cosmos, mais qui annonçait peut-être en secret des catastrophes, comme la chute de la Terre dans le Soleil et l'ébullition des mers, ou d'autres famines, des sécheresses, des épidémies, ou la disparition de l'Afrique dans l'océan des laves bouillonnantes crachées du centre du monde, ou que c'était peut-être l'âme de Mekkonen le dedjené qui s'en allait mourir au fond des étoiles. Il m'a fait peur, Habéké, avec ses lettres cataclysmiques, et je les ai détruites, toutes celles où menaçait la comète de malheur, mais je suis si faible devant l'univers, et je ne saurai jamais de mes mains nues ralentir tous ces mondes de feu qui nous frôlent et nous arrachent l'âme.

> *Cher Habéké,*
>
> *En cette nuit d'épiphanie, je suis la comète maléfique qui transperce le cœur et qui t'annonce qu'il est trop tard, que tout est fini, que jamais nous ne connaîtrons Schla Maryam…*

Les comètes sont les talismans dangereux cachés dans les rêves par les esprits de la mort. Les comètes sont les harmattans du ciel qui emportent l'âme des jeunes filles malades dans des mondes de nuit éternelle. Et dans le sillage de Nathalie à jamais disparue, ô Nathalie de ma détresse, de ma douleur de vivre et de mes regrets, un autre voile de ténèbres est tombé sur ma vie cet hiver-là, comme la voix de l'infini venue du fond de l'univers pour mettre dans mon cœur le tremblement des mondes.

Chers amis Habéké et Hugues,

Notre rivière n'atteint pas la mer, ni aucun lac, ni aucune vaste étendue d'eau. Une rivière qui finit dans les sables! Une rivière qui ne se jette nulle part, qui distribue généreusement ses meilleures eaux, ses meilleures forces, comme ça, au passage et à l'occasion, à ses amis. Ce que nous avons eu de meilleur, c'est un plan d'eau où nous n'étions pas encore à sec, et tout ce qui reste de nous, c'est ce qu'il tient d'eau dans la paume des deux mains, ce que nous avons mis de nous-mêmes et échangé avec autrui dans une rencontre, une conversation, un secours...

Bon courage,

Alexandre Soljenitsyne

Notre petite lettre de futurs exilés lui était parvenue par je ne sais quel miracle, par-delà les mers et les montagnes, et notre père spirituel nous avait répondu et j'en étais tout abasourdi.

Cher Habéké,

Je n'en suis pas sûr, mais si j'ai bien compris, je pense que nous sommes morts.

Une nuit j'ai vu que la comète de Kohoutek avait disparu du firmament, soufflée comme la lanterne des morts, emportant dans sa chevelure l'âme de notre Nathalie; et puis un jour j'ai appris que pendant l'hiver un peu de lait de comète avait coulé sur la Terre pour féconder une jeune femme et lui laisser dans le ventre un enfant habité par l'esprit des fléaux, un enfant de l'hypocrisie et de l'ère adulte, j'ai nommé l'enfant qu'Odile portait, ô Odile de mon apocalypse, mon Odile autrefois si belle et si pure, notre Odile rendue grosse par le Malpropre.

XXI

L'hiver a fini par passer sur le monde, mais sa douleur m'est restée, et puis le printemps est venu comme une tristesse encore plus profonde, puis l'été m'a brûlé les yeux et enflammé la tête, et ces tortures-là, c'était ma vie insensée, où j'étouffais lentement dans un monde mauvais, où rien ne me paraissait digne d'être touché. Céline et Claude, mes demi-parents, ne savaient plus très bien quoi penser de moi, vu que je n'avais plus d'amis et que je vivais barricadé dans ma chambre, sauf la nuit où parfois je sortais, tout seul, en bicycle, pour aller voir en secret la maison d'Odile qui attendait son enfant, ou la maison de Nathalie, près du centre d'achats, où dans les ténèbres je pleurais sur son âme des larmes de sang.

Je visitais jamais les parents d'Habéké. Je leur en voulais trop de ne pas avoir cherché à descendre au fond des secrets de leur fils adoptif, de ne pas avoir voulu devenir des Africains au lieu de faire d'Habéké un Canadien, ce qui aurait pu leur permettre de mieux le défendre face à l'Accident qui veut broyer toutes les âmes étranges ; mais au fond c'est ce qu'ils voulaient, le broyer, laver jusqu'au sang et jusqu'à l'os tout le noir de sa peau, lui arracher de force cet univers surnaturel qui l'habitait et le hantait, mais en arrachant le mal par la tête, toutes les racines profondes viendraient avec, pour déchirer à mort Habéké.

> *Cher Habéké,*
>
> *L'été cuit la ville et je suis tout seul, et il fait si chaud que je passe toutes mes journées dans la cave où je vois que c'est impossible, que ça ne peut plus durer. Je ne veux plus vivre dans ce monde de fous où tout le monde a peur de tout et où personne ne croit plus en rien et n'aime plus la vie, et puis les eaux ont crevé, cher Habéké, et Odile a mis au monde l'enfant de la comète, mais je rêve encore d'Exil, notre bel Exil du bout du ciel et des mers qui nous attend depuis toujours, mais je ne partirai pas sans toi, je t'attends, je suis là...*

Habéké m'écrivait qu'il n'en pouvait plus lui non plus de ce monde sauvage où tous rêvaient de le tuer, de lui trancher sa tête de nègre et de lui arracher le cœur tout palpitant pour voir s'il pissait du sang noir, et je sentais monter en lui des mondes pleins de tempêtes, et ses lettres se sont multipliées à mesure qu'approchaient la fin du mois d'août et sa libération du centre de réadaptation; et elles étaient plus courtes, ses lettres, des fois quelques lignes à peine, mais beaucoup plus nombreuses, quasiment une par jour, et quand je les éparpillais sur le tapis ça m'impressionnait; mais elles étaient aussi plus déchirées, je veux dire soit plus sombres ou soit plus lumineuses qu'avant, comme si sa colère s'approfondissait et s'aggravait par moments, mais que, d'un autre côté, à d'autres heures de sa vie, son espoir et sa pureté se cristallisaient encore plus haut dans le firmament.

Cher Hugues,

Ça y est, je sors demain, juste à temps pour l'école, et ils m'auront fait le cadeau d'un mois de ma vie, j'en ai eu onze à la douzaine, et je pense qu'ils croient vraiment que j'irai à l'école, mais enfin c'est fini et je m'en viens, j'arrive, prépare-toi parce que moi je suis prêt et je n'attendrai pas un jour de plus...

XXII

Partir au lieu de mourir, parce que partir c'est naître un peu. Naître par la peau des dents et par la peau des fesses, comme les saint-simoniaque de p'tits maudits bâtards d'enfants d'chienne, ou naître dans la soie et les bijoux, comme les princes; mais, prince ou bâtard, il faut bien naître si on veut mourir un jour.

Quand Habéké m'a reparu en plein soleil, une après-midi des fins d'août, tout réadapté et tout nettoyé de sa jeunesse en difficulté, j'ai trouvé qu'il avait grandi et il a trouvé que j'avais grandi, comme de raison, et je me demande ce qu'il a vu dans mes yeux, mais moi dans les siens j'ai vu des années. Je me souviens qu'on est allés dans le parc près de l'aréna et qu'il marchait à côté de moi comme une étrangeté tombée du ciel, comme si je l'avais cru mort à jamais, je veux dire mort physiquement, et que tout à coup il m'avait fait la surprise de se rematérialiser dans la lumière; et justement je le sentais gêné de dévorer tant de lumière avec sa peau, je le sentais nerveux, sur le qui-vive, toujours porté à jeter des regards derrière lui, comme s'il se méfiait de tout le monde. On a bu un peu d'eau à une fontaine et on est allés s'asseoir sur un banc isolé du parc, mais on avait peu de chose à se dire, vu que nos esprits ne s'étaient pas quittés durant ces longs mois et qu'on s'était écrit d'innombrables épîtres, mais il m'a posé la seule question qui importait.

« Es-tu prêt ?

– J'suis prêt. »

J'avais pensé à tout et le plan était gravé dans ma cervelle, et ce soir-là on a fait un dernier pèlerinage dans cette ville où on avait vécu, où on s'était connus. On a enfourché nos bicycles pour rouler jusqu'à l'école qu'on a regardée longtemps sans parler, et puis on a rebroussé chemin pour aller revirer dans la rue Lanthier, devant la maison qu'Odile avait habitée, où vivaient toujours sa mère et Marilou et Philippe. Ensuite de quoi, on a roulé dans le sentier de la voie ferrée, jusqu'aux industries dans la friche, puis on a voulu revenir par le quartier où avait vécu Nathalie, mais Habéké s'est soudainement immobilisé au beau milieu d'une avenue pour me dire qu'il n'avait pas la force de passer devant la maison de notre sœur de sang disparue, ça fait qu'on a regagné le vieux garage du fond de ma cour. On est restés longtemps sans rien dire, assis sur des chevalets sous une ampoule nue, et, quand nous nous sommes quittés pour la nuit, nous savions que c'était la dernière en ce monde.

★

Grands dieux j'étais fou, oui, je pourrai dire que j'ai été fou durant toute une nuit et même un peu plus, où j'ai senti sur ma peau le souffle de la vie, mais ce monde que j'ai trouvé au-delà du monde n'est pas celui que j'espérais, mais j'ai toujours mes yeux pour voir et jamais je ne cesserai de fouiller les nuits qui me tournent autour, vu qu'ils sont dans l'une d'elles, ceux pour qui je vivais, et qu'un jour j'entrerai dans la bonne nuit que je cherche et je vivrai.

★

On fonçait comme des déments dans le matin vif, habillés chaudement sur nos bicycles, et avant de quitter ma nuit blanche j'avais jeté un dernier coup d'œil dans la chambre de mes demi-parents pour leur faire un silencieux adieu éternel, puis je m'étais glissé dans celle de Jasmine et Benjamin pour les embrasser, et puis j'avais flatté Pipo et déguerpi.

Habéké, lui, il avait épinglé sa lettre d'adieu à son oreiller.

... un bon jour vient le grand jour où la vraie vie invisible se réveille et ce jour est venu pour moi et c'est pourquoi ce matin vous trouverez mon lit vide...

J'avais les mains blanches et engourdies à force que je serrais fort le guidon, et je me sentais dévoré par le temps et l'espace, comme si la Terre tournait trop vite pour moi, et, quand on a été en vue de chez Odile, j'ai senti mon sang se glacer. On s'est arrêtés sur un petit pont du chemin de terre où on a regardé autour de nous, et, quand on a vu qu'on était seuls, on a précipité nos bicycles dans l'eau boueuse du ruisseau et on a plongé dans les buissons. Au loin, sous un orme malade, on voyait le Malpropre et je sentais mon cœur qui cognait à m'en sortir les yeux de la tête. Seul derrière la maison mobile où flottait du linge sur la corde, il avait penché la tête sous le capot de son auto et il bricolait le moteur. Moi, je tenais fermement mon batte de baseball que j'avais apporté dans mon sac à dos, et, quand on a senti qu'on était prêts, on est sortis des broussailles pour s'approcher prudemment de la maison mobile, et à un moment donné on s'est séparés. Pendant qu'Habéké se dirigeait droit sur le Malpropre en coupant à travers champs, moi je contournais la maison, et, quand j'ai surgi de l'autre côté, je le voyais de dos, le Malpropre, qui s'était redressé pour apostropher Habéké qui passait sur son terrain. J'ai fait encore quelques pas et je me suis retrouvé juste derrière lui, puis dans un grand élan je lui ai écrasé le batte derrière le crâne et le Malpropre s'est effondré. Je savais pas si ça l'avait tué, mais il saignait sans bouger et le batte m'est tombé des mains, et tout d'un coup j'ai senti mes jambes mollir et j'ai eu des vertiges, et puis une profonde nausée, la nausée d'être l'apocalypse de quelqu'un ; et j'ai pensé qu'on se connaît si peu soi-même, si peu, qu'il faut toujours envisager le pire, puis ma vue s'est embrouillée.

Ensuite c'est un rêve vaporeux où je nous vois, Habéké et moi, jaillir dans la maison où Odile pliait du linge dans la salle de bains, assourdie par la machine à laver. Pendant quelques secondes j'ai cru que c'était une autre femme, vu qu'on voyait, même de dos, qu'elle avait vieilli, mais soudain elle a bougé, et ce geste infime du bras m'a déchiré le cœur parce que c'était son bras, et puis j'ai bien reconnu ses cheveux noirs, et la ligne parfaite de son visage clair, et ses mains pâles qui lissaient des blouses; et dans un éclair j'ai cru voir que je n'existais pas, que je n'étais pas là physiquement, mais que j'étais un esprit invisible, que j'étais mon âme, et qu'Odile se retournerait sans me voir et que je resterais là éternellement, à l'admirer, mais du coin de l'œil elle a vu des ombres et elle s'est retournée brusquement, le visage égaré, et c'est avec des larmes qui me brûlaient la gorge que je lui ai sauté dessus avec Habéké pour la bâillonner et lui lier les jambes et les poings; et j'ai souffert de voir dans ses yeux que la haine était en elle.

« Aie pas peur, que je lui ai murmuré, tu vas venir avec nous en Exil. »

Ensuite de quoi on a fouillé la maison pour découvrir, dans un moïse au fond d'une chambre, l'enfant de la comète, et j'en ai eu la respiration bloquée. Il était tout petit et tout beau, tout rose dans ses grenouillères bleues, et il souriait en brandissant un hochet de plastique, et tout de suite Habéké lui a arraché des mains ce talisman dangereux pour le fracasser à terre, et l'enfant s'est mis à fulminer, mais c'était l'esprit des fléaux qui se manifestait en lui, et sa seule chance de se purifier était de pleurer toutes les larmes de son corps, de pleurer tout son sang empoisonné pour souffrir longuement dans la solitude et le désespoir, pour peut-être un jour vaincre tout le mal qui l'habitait, et pour à la fin renaître au monde dans la lumière, baptisé d'un nouveau nom de puissance; mais ce serait une épreuve surhumaine à laquelle il ne survivrait peut-être pas, mais il nous fallait le jeter dans ce martyre, vu que c'était sa seule chance de se transfigurer en un enfant du Bien et de la Justice, pour peut-être un jour sauver le monde, mais ce monde-ci que nous quittions, et non pas ce monde-là où nous allions, car cet enfant appartenait à ce côté-ci des choses, tandis que nous, Odile, Habéké et moi, nous nous apprêtions à passer de l'autre côté des choses, dans un royaume inconnu où même les étoiles seraient neuves.

C'est ainsi qu'Habéké est allé aveugler la mère en lui nouant une serviette sur les yeux, la pauvre Odile saucissonnée qui faisait des sauts de carpe sur le plancher et qui gémissait, et ensuite seulement j'ai pu soulever l'enfant de la comète pour le glisser au fond du panier d'osier qui servait de corbeille à linge sale, et puis j'ai filé jusqu'au bord de l'eau, derrière la maison, au bout d'un vieux quai de bois où j'ai mis à flot le panier d'osier, le panier au fond duquel hurlait le bébé, et de mon pied je l'ai poussé délicatement vers le large, dans les sombres remous du courant. Ô bébé, que je pensais, ô petit bébé de la comète, si ton destin est de survivre tu survivras, si c'est d'éblouir le monde tu l'éblouiras. Ô pauvre de lui, il n'avait peut-être qu'une chance sur un million, mais cette chance serait la bonne s'il pouvait la saisir, s'il avait tous les esprits du bien et tous les génies avec lui ; et j'ai pensé qu'un jour, peut-être, c'est ce petit enfant grandi et miraculé qui sauverait ce monde que nous abandonnions, que c'était possible, que c'était peut-être Lui et que personne ne le savait encore, vu qu'un christ doit bien commencer par naître et faillir mourir.

Sur quoi j'ai rejoint Habéké devant la maison où se trouvait un gros tonneau de bois que j'avais remarqué depuis longtemps et qui faisait partie du plan, un tonneau tout repeint en blanc pour faire joli, sur lequel Odile avait placé des pots de fleurs. On a balancé les fleurs dans le fossé et on a roulé la barrique jusqu'au bord de l'eau. Ensuite de quoi on est revenus chercher Odile et on l'a transportée dans nos bras en enjambant le Malpropre qui avait un peu bougé dans son sang. Odile s'agitait et on trébuchait partout avec elle, et arrivés au bord du fleuve on soufflait comme des bêtes, et puis on s'est regardés, Habéké et moi, et on a tourné nos regards vers le point bleu à l'horizon, vers l'île d'Exil où nous recommencerions le monde, où nous attendaient tous les esprits, toutes nos vraies familles, l'aïeul Mekkonen, les dedjené et les totems, les tatagu kononi et les balanza, et jusqu'à l'âme vivante de Nathalie sous l'arbre de vie, et nous savions que l'heure de vérité était enfin venue, que le monde rêvé palpitait au bout de nos doigts.

Mais il fallait encore s'y rendre, au bout de nos doigts, et on a commencé par coucher la barrique pour y glisser Odile les pieds les premiers, Odile tout épuisée qui n'avait plus la force de nous résister, puis on a redressé la barrique pour l'amener sur l'eau et la tirer jusqu'au bout du quai, où Habéké a pénétré dedans à son tour. Le tonneau s'enfonçait déjà à moitié dans l'eau et j'y suis entré le dernier, tout en donnant une poussée de ma jambe traînante, et c'est ainsi que la barrique, qui flottait à la verticale comme une bouée, a pris le large en surnageant. Je me souviens qu'Odile était enroulée tout au fond et qu'Habéké et moi on était à croupetons par-dessus elle, et, pour qu'on ait de la lumière, j'avais replacé le couvercle de travers sur nos têtes. Elle avait beau être grosse, la barrique, on s'y trouvait très à l'étroit et on étouffait, mais ce n'était qu'un mauvais moment à passer, vu qu'on aborderait bientôt notre île promise, là-bas, dans l'Exil, mais tout à coup on s'est aperçus que l'eau froide s'infiltrait, que c'était d'abord du goutte à goutte, comme une sueur entre les planches, mais que ça s'est vite mis à ruisseler et à pisser, et Odile a recommencé à se déchirer la gorge et à se débattre en gigotant. On épongeait le fond de la barrique avec nos manteaux quand soudain on s'est senti happer par un courant puissant qui nous a ballottés fort. On roulait et on tanguait dans les vagues et des paquets d'eau nous tombaient sur la tête, et je commençais à avoir hâte qu'on s'échoue sur les plages de notre île et je me demandais si c'était encore loin, et puis, dans un fracas du diable, on a frappé d'aplomb des rocs qui ont imprimé leurs arêtes comme des coups de hache dans la barrique, et la bave du fleuve giclait par nos flancs éventrés. On tournoyait dans les vagues et dans les eaux froides et aveuglantes, et soudain on s'est écrasés contre un autre rocher, et sous la force de la collision tout s'est démoli et on a été expulsés comme des crachats dans les remous, et j'ai vu dans un éclair que tout était perdu.

Je me souviens qu'un puissant tourbillon me secouait et que je ne voyais plus rien, sauf un petit soleil pâle et tremblant, un soleil de fin de vie qui semblait vouloir s'éteindre dans l'écume bouillonnante. Il y avait là des forces inconnues à l'œuvre tout autour de moi, des forces de mort, d'oubli et d'anéantissement, peut-être des forces venues de cette nuit d'avant la naissance et qui nous ramenaient par les pieds d'où on avait surgi sans raison. Et soudain j'ai heurté un pilier du grand pont et j'ai eu la force de m'y agripper sans croire à toute cette folie. Tout étourdi, tout égaré, j'ai vomi de l'eau grise et j'ai longtemps cherché mes esprits perdus.

Où est-ce que j'étais? Qu'est-ce que je faisais là? Où se trouvaient donc le ciel et la terre au milieu de toute cette eau?

« Odile!... Habéké!...»

Mes amis ne répondaient pas à mes appels de détresse et j'ai continué à crier pendant je sais pas combien de temps. À un moment donné, je sais pas vraiment quand ni pourquoi, mais j'ai fini par comprendre ce que je devais comprendre et c'est comme un rêve encore. Je sais quand même que j'ai compris que je serais plus tard un homme seul. Ma dernière espérance était qu'Odile et Habéké iraient s'échouer sur notre île d'Exil, ou sur la corne somalienne, peut-être en vie, peut-être amoureux l'un de l'autre.

Je ne sais pas ce qu'il y a dans l'amour qui fait qu'on veuille l'avoir, mais je le voulais, oui, pour eux je le voulais, et quelque part aujourd'hui peut-être l'ont-ils.

C'est alors que, pour pas mourir là, je me suis mis à nager vers la rive. C'était creux sous moi, c'était les abîmes sans fond et j'avais peur encore de sombrer sous les eaux. J'étais affaibli et je me trouvais loin de la grève, mais j'ai réussi de peine et de misère à atteindre les berges marécageuses où je me suis abandonné au fond d'une petite anse, dans un marais de roseaux et de quenouilles.

J'étais tout en purée des pieds à la tête et je retrouvais lentement mon souffle, étendu dans la vase, quand un gémissement m'est parvenu aux oreilles. J'ai relevé la tête et j'ai pataugé vers la plainte, de l'autre côté de l'anse où j'ai écarté les joncs comme les rideaux d'un berceau. Un enfant triste m'est apparu. Ses petits poings bougeaient et il pleurait dans son panier de linge sale qui flottait parmi les herbages.

Je me suis courbé doucement pour le prendre dans mes bras et le consoler en lui chuchotant qu'il était orphelin et qu'il avait un long chemin.

Je l'ai regardé crier ; sur le dedans de ses joues fleurissait du muguet.

BIBLIOGRAPHIE

Œuvres de Sylvain Trudel

Le Souffle de l'harmattan, Montréal, Les Quinze, éditeur, 1986; Montréal, Stanké, coll. « 10/10 », 1988; Montréal, Typo, 1993; Montréal, Typo, 1997; Montréal, Typo, 2001.

Terre du roi Christian, Montréal, Les Quinze, éditeur, 1989; Montréal, Typo, 2000.

Zara ou la mer Noire, Montréal, Les Quinze, éditeur, 1993.

Les Prophètes, Montréal, Les Quinze, éditeur, 1994.

TYPO

TITRES PARUS

(C): contes; (E): essai; (F): fiction; (H): histoire; (N): nouvelles; (P): poésie; (R): roman; (Ré): récits; (T): théâtre

Cet ouvrage composé en Sabon corps 10
a été achevé d'imprimer
le quatre janvier deux mille un
sur les presses de Transcontinental
Division Imprimerie Gagné
à Louiseville
pour le compte des
Éditions Typo.

Imprimé au Québec (Canada)